D0256771

Balsem voor twee zielen

Andere titels in deze serie:

Balsem voor de ziel 1
Balsem voor de ziel 2
Balsem voor de ziel 3
Balsem voor de vrouwenziel
Balsem voor de moederziel
Balsem voor de werkende ziel

Jack Canfield, Mark Victor Hansen,
Mark & Chrissy Donnelly
en Barbara De Angelis

Balsem voor twee zielen

Vrolijke, hartverwarmende en inspirerende verhalen over liefde en relaties

2000 – Forum – Amsterdam

Oorspronkelijke titel: Chicken Soup for Couple's Soul
Oorspronkelijke uitgeverij: Health Communications, Inc., Florida
Nederlandse vertaling: Netty Kruithof
Omslagontwerp: Studio Eric Wondergem BNO bv
Omslagfoto: © Arsis

ISBN 90 225 2745 x

We zijn allen engelen met slechts één vleugel.
Alleen door elkaar te omhelzen kunnen we vliegen.

Luciano de Crescenzo

We dragen dit boek met liefde op aan iedereen die wel eens verliefd is geweest of hoopt weer verliefd te worden.

Inhoud

8. Eeuwige liefde

Dankwoord

Het schrijven van *Balsem voor twee zielen* heeft meer dan drie jaar schrijven, samenstellen en bewerken in beslag genomen. Soms was het een marathon, soms een sprint. Maar we hebben er altijd met plezier en liefde aan gewerkt. We hebben gaandeweg hechte relaties opgebouwd maar ook onverwacht profijt gehad van bestaande vriendschappen. Bovenal was het een project dat we niet hadden kunnen volbrengen zonder de liefdevolle bijdrage van vele mensen. Wij willen graag de volgende mensen bedanken: Kim Kirberger, die met haar deskundigheid en al haar bemiddelingskwaliteiten dit project door de belangrijke beginfase heen loodste. Kim, je bent onze engel geweest en we zijn je eeuwig dankbaar voor je vriendschap en liefde.

Patty Hansen, die ons terugbracht tot de kern en ons eraan herinnerde waar *Balsem voor de ziel* over gaat. Elisabeth en Melanie, bedankt voor jullie liefde en acceptatie.

Georgia Noble, bedankt dat je jouw huis voor ons openstelde en zulke warme en liefdevolle steun gaf. Christopher Canfield, bedankt dat je je vader met ons wilde delen.

Bob Proctor, voor het zorgen voor een vruchtbare omgeving en dat je ons hielp bij het verbeteren van het oorspronkelijke idee. Zonder jou zou dit een ander verhaal zijn geweest (letterlijk!).

John Assaraf, omdat hij de stam van de succesboom is die ons naar alle andere takken leidde.

Phyllis en Don Garsham, bedankt dat jullie altijd een bron van onvoorwaardelijke liefde, inspiratie en onwankelbare steun waren.

Bob en Jan Donnelly, omdat ze er waren als we ze nodig hadden en omdat ze zulke fantastische ouders en goede vrienden zijn.

Jeanne Neale, bedankt voor het feit dat je zo'n fantastische moeder bent en een vaak gebruikt klankbord. Je bent de beste!

Hilda Markstaller, omdat je een bron van wijsheid bent.

Mac Markstaller, voor je onvermoeibare steun bij het onderzoek naar verhalen, je consequente optimisme en je voortdurend geloof dat dromen echt uitkomen.

Alison Betts, omdat je zo vindingrijk en onvermoeibaar was in het compileren van het manuscript en het verkrijgen van de toestemmingen die nodig waren voor de verhalen en omdat je ons communicatiekanaal was gedurende het hele project.

Patty Aubery, jouw steun en vriendschap zijn een bron van kracht en inspiratie voor ons geweest om dit project tot een goed einde te brengen. Je bent de echte duizendpoot en de *Balsem voor de ziel* wordt gerespecteerd, omdat jij dat ook wordt! Jeff Aubery, J.T. en Chandler, bedankt voor jullie vriendschap en steun!

Nancy Mitchell, bedankt voor je aanmoedigingen en het wijzen van de goede weg van start naar finish. Ook bedankt dat je ons door de woelige wateren van het proces om toestemmingen heen hebt geloodst.

Heather McNamara, voor je deskundige assistentie bij het begeleiden van ons manuscript tot boek. Bedankt dat je ons hebt geholpen onder enorme druk. Je bent de beste!

Leslie Forbes, voor het inspringen als we hulp nodig hadden en voor al het harde werken als de toestemmingen gisteren hadden moeten worden gegeven.

Veronica Romero, Teresa Esparza en Robin Yerian, voor het op professionele wijze leiden van de cursussen ' Zelfrespect'.

Ro Miller, omdat zij de beste teamspeler is. Wie zorgt er voor Chandler als Patty de kamer uit is?!

Lisa Williams en Laurie Hartman op het kantoor van Mark Viktor Hansen, die het project steunden en ons door de mazen leidden.

We bedanken iedereen bij Health Communications, onze uitgever, omdat het zo fijn was met jullie samen te werken en voor jullie enthousiasme voor het project. Peter Vegso, Tom

Sand en Terry Burke, bedankt voor het samenstellen en leidinggeven aan zo'n fantastisch team.

Christie Belleris, Matthew Diener, Lisa Drucker en Allison Janse voor hun deskundig werk met het redigeren van dit boek. Larissa Hise, voor je hulp bij het creatieve en originele omslagontwerp.

Diana Chapman, jouw onvermoeibare steun en geloof vanaf dag één zijn onschatbaar geweest. Je vriendschap en inzicht hebben ons op het juiste pad gehouden en ons gesteund in de onvermijdelijk eenzame perioden. Bedankt!

Matt Eggers, Marty Rauch, Chris McDevitt, Amy en Neal Fanelli, James en Sherry Sandford, Lillian en Frank Kew en DeJais Collel, die er vanaf het begin in geloofden. Jullie hart is zo groot en open voor anderen dat jullie goede daden zeker nog terugbetaald worden.

Arielle Ford, die zo'n fervente fan van dit boek is. Jij ook bedankt, Brian Hilliard!

Marci Shimoff en Jennifer Hawthorne, buitengewone mede-auteurs, die ons de noodzakelijke begeleiding gaven en ons steunden met hun enorme ervaring en positieve energie. We zijn blij dat we met jullie mochten samenwerken.

Jann Mitchell, die het balletje aan het rollen bracht met haar artikel in *The Oregonia*, drie jaar geleden.

We willen in het bijzonder de vele mensen bedanken, die uren doorbrachten met het lezen van onze top tweehonderd-verhalen en ons voorzagen van oordelen en waardevol commentaar, waardoor we onze definitieve verhalen konden kiezen: Bonnie Block, Christine Clifford, Lisa Drucker, Beverly Kirkhart, Peggy Larson, Inga Mahoney, Lilian Wagner, Nancy Mitchell, Robbin O'Neill, Krista Buckner, Diana Chapman, Patrick Collins, Yvonne Fedderson, Dionne Fedderson, Tom Krause, Cristi Leahs, Heather McNamara, Jeanne Neale, Annie Dadonna, Sherry Grimes, Tom Lagana, Laura Lagana, Barbara LoMonaco, Linda Mitchell, Ron Nielsen, Robin Stephens, Karen Lisko, Jean Soberick, Bud Grossmann, Rabbi Avi Magid, Robert Shapard, Ph.D., Dr. Ian MacMillan, Robert P. Barclay, Elizabeth Reveley, Connie Fueyo, Shore Slocum, Randy Heller, Lisa Molina, Barbara Rosenthal, Amy Rosenthal, Debbie Robins, Hubert

La Bouillerie, Sharon Dupont en Jean Nero.

We willen ook onze dank betuigen aan al die honderden mensen die ons verhalen, brieven, gedichten en citaten hebben gestuurd om eventueel te worden opgenomen in de *Balsem voor twee zielen*. Hoewel wij niet alle inzendingen hebben kunnen gebruiken, waren we diep geraakt dat jullie de pijnlijke en emotionele verhalen met ons hebben willen delen. Jullie gevoelens en bedoelingen over liefde en relaties waren voortdurend een bron van inspiratie voor ons allemaal. Hartelijk dank!

Als gevolg van de omvang en tijdsduur van dit project kan het zijn dat hier de namen van de mensen die ons onderweg hebben geholpen, ontbreken. Mocht dat zo zijn, aanvaard dan onze excuses en weet dat wij u zeer hebben gewaardeerd.

We danken alle helpende handen en hartverwarmende bedoelingen die in aanraking zijn gekomen met dit project. Zonder jullie was het niet mogelijk geweest. Wij houden van jullie!

Inleiding

Liefde is de meest krachtige magische energie in het universum en dat wordt nergens zo mooi zichtbaar als in de intieme relatie tussen twee mensen. We schreven *Balsem voor twee zielen* in de hoop dit mysterie en wonder in woorden te kunnen vatten. Woorden die je diep zullen raken en je hart openen als je ooit verliefd bent geweest of hoopt verliefd te worden. Dit is een boek voor mannen, vrouwen en geliefden en iedereen die ervan droomt zijn echte zielsverwant te vinden.

De liefde tussen twee mensen duurt soms een leven lang, soms is het slechts voorbestemd tot een kortere periode. Dan worden de twee geliefden gescheiden, door eigen verkiezing of door het lot. Eén ding is echter waar: wat de uitkomst ook zal zijn, als de liefde eenmaal in je leven is gekomen, laat het haar sporen na tot het diepste van je ziel.

Ieder verhaal in dit boek is geschreven door iemand die door liefde is veranderd. Wij werden veranderd toen we deze verhalen lazen en wij hopen dat het ook u als lezer zal raken. Misschien dat enkele van deze verhalen de band van vertrouwen en intimiteit in uw relatie hernieuwen of dat u beter begrip krijgt voor uw partner. Misschien zijn er verhalen waardoor u waardering leert op te brengen voor de wijze waarop de liefde het u mogelijk heeft gemaakt een beter mens te worden. Andere verhalen herinneren u eraan en verzekeren u dat u nooit de enige bent die zoiets doormaakt, hoewel de liefde iedereen op unieke wijze uitdaagt en tot zegen is.

Wat bepaalt onze intieme relaties? Waar moeten we op letten om te ontdekken hoe de liefde zich openbaart? De verhalen die u zult lezen geven, met mooie woorden en met inzicht antwoord op deze vragen. Soms openbaart de liefde zich op het onvergelijkbare niveau van begrip en vriendschap, die we delen met ons maatje en niemand anders. Soms zit het in wat gezegd wordt en soms in wat niet gezegd, maar gevoeld wordt. Soms ligt de liefde verborgen in de hindernissen, die we samen moeten overwinnen. Soms zit het in de vreugde die we voelen met onze partner en dat wordt doorgegeven aan onze kinderen en familieleden. En soms zit het daar waar intieme relaties komen, op plaatsen waar we vrijwillig nooit naartoe zouden gaan, maar vanwege de liefde doen we alles.

Intieme relaties zijn ook krachtige leermeesters, zoals deze verhalen zo prachtig illustreren. Ze leren ons medeleven te hebben, te zorgen en te vergeven. Ze leren ons wanneer je moet vasthouden en loslaten. Ze geven ons de mogelijkheid kwaliteiten zoals moed, geduld, loyaliteit en vertrouwen te ontwikkelen. Als we het toestaan zullen onze relaties alles laten zien wat we nodig hebben om als mens te groeien. Op deze wijze zal liefde nooit ons leven binnenkomen zonder het ten goede te veranderen.

Er zijn momenten waarop liefde als iets heel gewoons ervaren wordt, het komt tot uiting in een glimlach van begrip van je geliefde. Op andere momenten lijkt de liefde buitengewoon verheven en nodigt je uit in een nieuwe wereld van passie en eenheid, zoals je die nog nooit hebt gekend. Net zoals de liefde zelf laten de verhalen in dit boek ieder seizoen, iedere stemming en iedere kleur van emotie zien: het zoete begin; de uitdagende en verdiepende intimiteit; de momenten van verdriet als we gedwongen worden afscheid te nemen van onze zielsverwant; momenten van verbazing als we verloren gewaande liefdes herontdekken.

Sommige verhalen zullen u doen lachen, andere laten u huilen. Maar de verhalen van *Balsem voor twee zielen* brengen vooral een ode aan de kracht van liefde, die uitstijgt boven jaren, problemen, afstand en zelfs de dood.

Er is geen groter wonder dan de liefde. Het is het kostbaarste geschenk van God aan ons. Wij schenken u deze *Balsem voor twee zielen*. Moge het uw hart openen en uw verstand raken, uw geest inspireren en goed gezelschap zijn op uw eigen zielenreis. Moge uw leven altijd rijk gezegend zijn met liefde.

1

Liefde en intimiteit

Liefde is de meest krachtige energie. Zij is onzichtbaar en kan niet worden gemeten, maar is sterk genoeg om iemand plotseling te veranderen en een mens meer vreugde te geven dan welk materieel bezit ook.

Barbara De Angelis

Ik denk aan jou

Verder te leven in de zielen van hen die we achterlaten, betekent niet te sterven.

Thomas Campell

Het gezicht van Sofia vervaagde in het bleke winterlicht dat de woonkamer binnenscheen. Ze was weggedoezeld in de stoel, die Joe voor haar veertigste verjaardag had gekocht. Het was warm en stil. Buiten sneeuwde het zachtjes.

Om kwart over één kwam de postbode de hoek om rijden, de Allenstraat in. Hij was laat, niet vanwege de sneeuw, maar omdat het Valentijnsdag was. Er was meer post dan normaal. De postbode liep zonder op te kijken langs de voordeur van Sofia. Twintig minuten later stapte hij weer in zijn wagen en reed weg.

Sofia schrok op toen hij wegreed. Ze deed haar bril af en veegde, met de zakdoek die ze altijd in haar mouw had, haar mond en ogen af. Ze duwde zichzelf uit haar stoel, strekte langzaam haar rug en streek haar donkergroene jurk recht.

Haar slippers maakten een zacht, sloffend geluid op de houten vloer toen ze naar de keuken liep. Ze stond stil bij het aanrecht en waste de twee bordjes af, die ze na de lunch had laten staan. Toen vulde ze een plastic beker met water en nam haar pillen in. Het was kwart voor twee.

Sofia ging in de schommelstoel zitten die, in de woonkamer, vlak voor het raam stond. Over een halfuurtje zouden de kinderen langslopen, van school naar huis. Ze wachtte, schommelde en keek naar de neerdwarrelende sneeuw.

Zoals altijd kwamen de jongens het eerst. Ze renden en riepen dingen die Sofia niet kon horen. Vandaag maakten ze sneeuwballen en gooiden die naar elkaar. Eén bal miste doel en vloog met een harde knal tegen het raam. Ze deinsde achteruit en de schommelstoel schoof van het kleed.

Daarna kwamen de meisjes, in groepjes van twee en drie. Ze treuzelden en af en toe sloegen ze hun, in wanten gestoken, handen voor de mond en giechelden. Sofia vroeg zich af of ze elkaar vertelden over de valentijnskaarten, die zij op school hadden gehad. Een mooi meisje met lang bruin haar stond even stil en wees naar het raam waar Sofia zat. Sofia voelde zich betrapt en verschool haar gezicht achter het gordijn.

Toen ze weer opkeek waren de jongens en meisjes verdwenen. Het was koud bij het raam, maar ze bleef zitten en keek hoe de voetafdrukken van de kinderen ondersneeuwden.

Een bestelbusje van een bloemist reed de straat in. Sofia volgde hem met haar ogen. Het stopte twee keer en reed daarna weer langzaam verder. Toen reed het busje het pad op van mevrouw Mason, de buurvrouw, en de bestuurder stapte uit.

Wie zou haar bloemen sturen? dacht Sofia. Haar dochter in Wisconsin? Of haar broer? Nee, niet haar broer, want die was heel ziek. Waarschijnlijk haar dochter. Wat lief van haar.

Bloemen deden haar altijd aan Joe denken en even liet ze de pijnlijke herinnering aan hem toe. Morgen was het de vijftiende. Precies acht maanden geleden was hij overleden.

De bloemist belde aan bij mevrouw Mason. Hij droeg een lange witte doos. Niemand deed open. Natuurlijk niet! Het was vrijdag en mevrouw Mason had vrijdags een cursus quilten maken, in de kerk. De bezorger keek rond en liep toen naar haar huis toe.

Sofia stond moeizaam op uit de schommelstoel en ging achter de gordijnen staan. De man belde aan. Met trillende handen voelde ze of haar haar nog goed zat. Toen hij voor de derde keer belde was ze bij de voordeur.

'Ja?' zei ze, en gluurde door een kier van de deur.

'Goeiemiddag, mevrouw,' zei de man met luide stem. 'Wilt u een bestelling voor de buren aannemen?'

'Ja,' antwoordde Sofia en ze deed de deur verder open.

'Waar zal ik ze neerleggen?' vroeg de man beleefd toen hij binnenkwam.

'In de keuken. Op de tafel, alstublieft.' Sofia vond de man erg groot. Ze kon zijn gezicht nauwelijks zien door zijn groene pet en zijn baard. Ze was blij dat hij snel weer weg-ging en ze deed de deur op slot.

De doos was zo groot als de keukentafel. Sofia ging er wat dichterbij staan en boog zich voorover. Ze las: 'Natalies bloemen voor iedere gelegenheid'. De zoete geur van rozen overviel haar. Ze deed haar ogen dicht en zag de prachtige, gele rozen voor zich zoals Joe die altijd voor haar kocht. 'To my sunshine,' zei hij als hij haar zijn uitbundige boeket gaf. Hij lachte dan blij, kuste haar op haar voorhoofd, nam haar handen in de zijne en zong 'You Are My Sunshine'.

Het was vijf uur toen mevrouw Mason aanbelde. Sofia zat nog steeds aan de keukentafel. De bloemendoos was nu open en ze had de rozen in haar schoot. Ze bewoog zachtjes heen en weer en streelde de tere gele bloemblaadjes. Me-vrouw Mason belde nog een keer, maar Sofia hoorde haar niet. Na een paar minuten vertrok de buurvrouw.

Even later stond Sofia op en legde de bloemen op de keu-kentafel. Ze had een blos op haar wangen. Ze sleepte een keukentrapje over de keukenvloer en uit een bovenkastje pakte ze een wit porseleinen vaas. Ze gebruikte een glas om de vaas met water te vullen. Daarna schikte ze liefdevol de rozen en het groen en droeg de vaas naar de woonkamer.

Ze glimlachte toen ze midden in de kamer stond. Ze draaide langzaam in kleine rondjes met de vaas tegen haar borst. Met kleine pasjes bewoog ze door de kamer, naar de keuken, de hal door en weer terug. Ze danste tot haar benen moe werden. Toen ging ze zitten en viel in slaap.

Kwart over zes werd ze met een schok wakker. Iemand klopte hard op de achterdeur. Het was mevrouw Mason.

'Hallo, Sofia,' zei ze. 'Is alles goed met je? Ik ben al eerder langs geweest en was een beetje bezorgd toen je niet open-deed. Sliep je?' Mevrouw Mason kwam binnen, veegde haar laarzen schoon en babbelde verder. 'Wat heb ik toch een hekel aan sneeuw. Op de radio zeggen ze dat er vannacht wel vijftien centimeter kan vallen. Maar je weet het, ze hebben het ook wel eens bij het verkeerde eind. Herinner je je nog de vorige winter, toen ze tien centimeter voorspelden en er wel vijftig viel? Vijftig! En ze zeggen dat het dit jaar een zachte winter zal worden. Dat zal wel! Ik geloof dat het al weken niet boven nul is geweest. Weet je dat ik vorige maand een olierekening van $ 263 had? En dat voor mijn kleine huis!'

Sofia luisterde maar met een half oor. Plotseling dacht ze aan de rozen en ze schaamde zich. De lege bloemendoos stond achter haar op de keukentafel. Wat zou ze tegen mevrouw Mason zeggen?

'Ik weet niet hoe lang ik de rekeningen nog kan betalen. Was Alfred, God hebbe zijn ziel, maar zo zuinig geweest als Jozef. Jozef! Och heden, nou vergeet ik bijna de rozen.'

Sofia had een vuurrood hoofd. Ze begon een excuus te stamelen en stapte opzij om de lege doos te laten zien.

'O, gelukkig,' onderbrak mevrouw Mason haar. 'Je hebt de rozen al in het water gezet. Maar dan heb je ook het kaartje gezien. Ik hoop niet dat je erg geschrokken bent van Jozefs handschrift. Hij had me gevraagd je het eerste jaar de rozen te brengen, zodat ik het je kon uitleggen. Hij wilde je niet laten schrikken. Hij noemde het, geloof ik, zijn "Rozenfonds". Vorig jaar april heeft hij het al met de bloemist geregeld. Wat was jouw Jozef toch een lieve man.'

Sofia luisterde al niet meer. Haar hart bonsde toen ze het kleine witte envelopje opende. Het had al die tijd naast de doos gelegen. Haar handen trilden toen ze het kaartje eruit pakte.

'To my sunshine,' stond er. 'Ik hou zielsveel van je. Probeer gelukkig te zijn als je aan mij denkt. Liefs, Joe.'

Alicia von Stamwitz

Iemand die over me waakt

De passagiers in de bus keken vriendelijk naar de jonge aantrekkelijke vrouw, die voorzichtig met een witte stok haar weg zocht. Ze betaalde de chauffeur en liep tastend naar de stoelen het gangpad door naar de stoel, waarvan de chauffeur zei dat hij leeg was. Ze ging zitten, legde haar attachékoffer op haar schoot en zette haar stok tegen haar been.

Een jaar eerder was Susan, vierendertig, blind geworden. Als gevolg van een medische fout kon ze niets meer zien en was daardoor plotseling in een wereld van duisternis, boosheid, frustratie en zelfmedelijden terechtgekomen. Ze was een sterke, onafhankelijke vrouw geweest, maar door deze vreselijke speling van het lot voelde ze zich gedoemd een krachteloze, hulpeloze last voor iedereen in haar omgeving te worden. 'Waarom ik?' vroeg ze zich woedend af. Maar hoe boos ze ook was, hoe hard ze ook huilde en bad, het zou niets aan de keiharde realiteit veranderen. Ze zou nooit meer kunnen zien.

Donkere wolken van depressie hingen om Susan heen, terwijl ze voorheen zo'n optimistisch mens was. Ze vond het al frustrerend en uitputtend om de dag door te komen. Alles wat ze had was haar man Mark.

Mark was een luchtmachtofficier en hij hield verschrikkelijk veel van Susan. Toen ze blind werd, zag hij haar wanhoop en hij was vastbesloten om zijn vrouw te helpen met het hervinden van haar kracht en zelfvertrouwen, zodat ze weer onafhankelijk kon zijn. Door zijn militaire achtergrond was hij goed getraind om met moeilijke situaties om te gaan. Hij was zich er echter van bewust dat dit de moeilijkste strijd zou worden die hij ooit had gestreden.

Toen Susan zich sterk genoeg voelde om terug te gaan naar haar werk, stonden ze voor het probleem hoe ze daar zou komen. Voorheen nam ze de bus, maar nu was ze te bang om alleen de stad in te gaan. Mark bood aan haar iedere dag te brengen, hoewel hij aan de andere kant van de stad werkte. In eerste instantie stelde dit Susan gerust en op deze wijze kon Mark toch zijn blinde vrouw nog beschermen. Ze was onzeker over de kleinste dingen. Mark besefte wel dat het niet de ideale oplossing was, het was te hectisch en te duur. Het was voor hem duidelijk dat Susan weer met de bus moest gaan reizen. Hij huiverde al bij de gedachte dat hij haar dit zou moeten vertellen. Ze was nog zo fragiel, zo boos. Hoe zou ze reageren?

Precies zoals Mark voorspelde vond Susan het idee dat ze weer met de bus moest reizen vreselijk. 'Ik ben blind!' reageerde ze bitter. 'Hoe weet ik waar ik heen moet? Het is alsof je me in de steek laat.'

Zijn hart brak toen hij deze woorden hoorde, maar Mark wist wat er gedaan moest worden. Hij beloofde Susan dat hij iedere ochtend en avond mee zou gaan in de bus. Net zolang totdat ze het alleen kon.

Zo gezegd zo gedaan. Twee weken lang begeleidde Mark, in uniform, Susan naar en van het werk. Hij leerde haar op andere zintuigen te vertrouwen, in het bijzonder haar gehoor, zodat ze kon bepalen waar ze was en hoe ze zich moest aanpassen aan de nieuwe omgeving. Hij zorgde ervoor dat de buschauffeurs naar haar uitkeken en een plaats vrijhielden voor haar. Hij maakte haar aan het lachen, zelfs op de dagen dat het niet zo goed ging: als ze struikelde bij het uitstappen of haar koffer liet vallen en al haar papieren in het gangpad vielen.

Ze reisden iedere ochtend samen en daarna nam Mark een taxi naar zijn werk. Hoewel deze gang van zaken zelfs nog duurder en vermoeiender was wist Mark dat het slechts een kwestie van tijd was. Hij geloofde in haar, in de Susan die hij kende voordat ze blind werd. De vrouw die niet bang was voor nieuwe uitdagingen en nooit, nooit opgaf.

Op een dag besloot Susan dat ze wel alleen kon reizen. De maandagmorgen, voordat ze vertrok, vloog ze Mark om de hals. Mark, haar busmaatje, haar echtgenoot en beste vriend. Met ogen vol tranen van dankbaarheid over zijn loyaliteit, geduld en liefde zei ze hem gedag. Voor de eerste keer gingen ze ieder hun eigen weg.

Maandag, dinsdag, woensdag, donderdag... Het reizen alleen ging prima en Susan voelde zich beter dan ooit. Het lukte. Ze ging alleen naar haar werk.

Ook die vrijdagochtend nam ze gewoon de bus. Toen ze het buskaartje betaalde zei de chauffeur: 'Goh, ik benijd je wel hoor.'

Susan wist niet zeker of hij tegen haar praatte. Wie kon nou jaloers zijn op een blinde vrouw die, na een jaar, net weer de moed had gevonden om te leven? Ze was nieuwsgierig en vroeg daarom: 'Waarom zegt u dat u mij benijdt?'

'Het moet toch wel een goed gevoel geven zo verzorgd en beschermd te worden,' antwoordde de chauffeur.

Susan had geen flauw idee wat hij bedoelde: 'Hoezo?'

'Weet u, al de hele week staat er iedere morgen een knappe man in uniform op de hoek van de straat en kijkt hoe u uitstapt. Hij let erop dat u veilig oversteekt en wacht tot u het kantoorgebouw bent binnengegaan. Dan blaast hij een kus naar u en salueert voordat hij weggaat. U bent een bevoorrechte vrouw.'

Tranen van geluk rolden over Susans wangen. Ze kon Mark dan wel niet zien, maar ze had zijn aanwezigheid wel gevoeld. Ze had zoveel geluk, zoveel geluk, want hij had haar iets gegeven dat sterker was dan het zien. Een geschenk dat ze niet hoefde te zien om het te geloven en dat was het feit dat liefde licht brengt waar duisternis is.

Sharon Wajda

Hongeren naar je liefde

Het is koud, bitter koud, op deze donkere winterdag in 1942. Deze dag verschilt echter niet van alle andere dagen in dit naziconcentratiekamp. Ik sta te bibberen in mijn dunne lompen en geloof nog steeds niet dat deze nachtmerrie realiteit is. Ik ben nog zo'n kleine jongen. Ik zou moeten spelen met vriendjes; ik zou naar school moeten; ik zou moeten verlangen naar de toekomst, opgroeien, trouwen en zelf weer kinderen krijgen. Maar deze dromen zijn voor de levenden en ik hoor daar niet meer bij. In plaats daarvan ben ik bijna dood, vanaf het moment dat ik van huis ben weggevoerd met tienduizenden andere joden, overleef ik van dag tot dag, van uur tot uur. Zal ik morgen nog leven? Zal ik vanavond naar de gaskamer worden gebracht?

Ik loop heen en weer langs het prikkeldraad om mijn uitgemergelde lichaam warm te houden. Ik heb honger, maar ik heb al langer honger dan ik me wil herinneren. Ik heb altijd honger. Eetbaar voedsel lijkt op een droom. Iedere dag, als er steeds meer van ons verdwijnen, lijkt het gelukkige verleden op een droom en ik word wanhopiger.

Plotseling zie ik aan de andere kant van het prikkeldraad een jong meisje lopen. Ze staat stil en kijkt mij met droeve ogen aan. Het zijn ogen die lijken te vertellen dat zij het begrijpt, en dat zij ook niet weet waarom ik hier ben. Ik wil wegkijken, ik ben op een bepaalde manier beschaamd dat een vreemde mij zo kan zien, maar ik kan mijn ogen niet van haar afhouden.

Dan steekt ze haar hand in haar jaszak en haalt er een rode appel uit. Een prachtige, glimmende, rode appel. Hoe lang is het niet geleden dat ik er een heb gezien? Ze kijkt voorzichtig naar links en rechts en gooit dan snel, met een triomfantelijke glimlach, de appel over het hek. Ik ren om hem op te rapen en houd de appel in mijn trillende, bevroren vingers. In mijn wereld van dood is deze appel een teken van leven, van liefde. Ik kijk net op tijd op om te zien dat het meisjes wegloopt.

De volgende dag, ik kan er niets aan doen, ga ik weer op dezelfde tijd naar dezelfde plek bij het hek. Ben ik gek dat ik hoop dat ze weer komt? Natuurlijk. Maar hier koester ik elke splinter hoop. En zij heeft me hoop gegeven en daaraan moet ik me vastklampen.

Ze komt en opnieuw brengt ze me een appel en gooit hem met dezelfde glimlach over het hek.

Dit keer vang ik hem op en hou de appel omhoog zodat ze hem kan zien. Haar ogen stralen. Heeft ze medelijden met mij? Misschien. Het kan me eigenlijk niet schelen. Ik ben gewoon gelukkig als ik naar haar kijk. Voor het eerst in lange tijd voel ik emotie.

Zeven maanden lang zien we elkaar op deze manier. Soms praten we met elkaar, soms is er gewoon een appel. Ze voedt meer dan alleen mijn maag, deze engel uit de hemel. Ze voedt mijn ziel. Op een bepaalde manier weet ik dat het andersom ook het geval is.

Dan hoor ik verschrikkelijk nieuws: we worden overgeplaatst naar een ander kamp. Dit kan mijn einde betekenen en het houdt zeker het einde van onze vriendschap in.

Als ik haar de volgende dag begroet breekt mijn hart en ik kan nauwelijks over mijn lippen krijgen wat gezegd moet worden: 'Breng me morgen geen appel. Ik word naar een ander kamp gebracht. We zullen elkaar nooit meer zien.' Voordat ik ga huilen draai ik me snel om en ren bij het hek vandaan. Ik kan niet omkijken. Als ik dat doe zal ze zien dat de tranen over mijn wangen stromen.

Er gaan maanden voorbij en het is nog steeds een nachtmerrie. De herinnering aan dat meisje helpt me door de verschrikkingen, de pijn en de hopeloosheid heen. Steeds zie ik weer haar gezicht, haar vriendelijke ogen, hoor ik haar zachte stem en proef ik de appels.

Van de ene op de andere dag is de nachtmerrie voorbij. De oorlog in afgelopen. Zij die nog leven zijn vrij. Ik heb alles verloren wat me lief is, ook mijn familie. Alleen de herinnering aan dat meisje heb ik nog. Een herinnering die ik meedraag in mijn hart en die mij de kracht geeft om verder te gaan als ik naar Amerika ga om een nieuw leven te beginnen.

Jaren gaan voorbij. Het is 1957. Ik woon in New York City. Een vriend haalt me over om uit te gaan met een vriendin van hem. Met tegenzin stem ik in met deze *blind date*. Ze is echter aardig, deze vrouw, deze Roma. Ze is net zoals ik immigrant en we hebben dus iets gemeen.

Roma vraagt me vriendelijk, op die gevoelige manier waarop immigranten elkaar vragen stellen over die jaren: 'Waar was jij tijdens de oorlog?'

'Ik zat in een concentratiekamp in Duitsland.'

Roma krijgt een dromerige blik in haar ogen alsof ze zich iets pijnlijks en toch mooois herinnert.

'Wat is er?' vraag ik.

'Ik denk aan iets van vroeger, Herman.' Haar stem is plotseling heel zacht. 'Weet je, toen ik een jong meisje was woonde ik dicht bij een concentratiekamp. Daar zat een jongetje gevangen en ik heb hem heel lang iedere dag bezocht. Ik herinner me dat ik hem appels bracht die ik over het hek gooide en dat hij dan zo gelukkig was.'

Roma zucht diep en gaat verder: 'Het is moeilijk uit te leggen wat we voor elkaar voelden, we waren per slot van rekening jong en we spraken nauwelijks met elkaar. Toch weet ik zeker dat er veel liefde was. Hij zal wel, zoals zovelen, dood zijn, maar daar wil ik niet aan denken. Ik wil hem herinneren zoals hij was toen we samen waren.'

Mijn hart bonst in mijn keel en ik kijk Roma aan en vraag: 'En heeft die jongen jou op een dag gezegd: "Breng me morgen geen appel. Ik word naar een ander kamp gebracht"?'

'Ja,' antwoordt Roma met trillende stem. 'Maar hoe weet jij dat, Herman?'

Ik neem haar handen in de mijne en zeg: 'Omdat ik die jongen was, Roma.'

Het is heel lang stil. We kijken elkaar alleen maar aan en als de sluier van tijd verdwenen is herkennen we de ziel achter de ogen. De lieve vriend van wie we zoveel hielden, van wie we nog steeds houden en die we nooit zijn vergeten.

Tenslotte zeg ik: 'Luister, Roma. Ik ben ooit van je gescheiden en dat wil ik geen tweede keer. Ik ben vrij en ik wil heel graag samen met jou zijn. Lief, wil je met me trouwen?'

Haar ogen glanzen net zoals vroeger als Roma antwoordt: 'Ja, ik wil met je trouwen.' We omhelzen elkaar innig zoals we altijd al hadden gewild, maar niet konden omdat er prikkeldraad tussen ons in was. Dat zal nooit meer gebeuren.

Het is veertig jaar geleden dat ik mijn Roma heb gevonden. Het lot bracht ons tijdens de oorlog voor het eerst bij elkaar om mij hoop te geven en daarna om die hoop te vervullen.

In 1996, op Valentijnsdag, ga ik samen met Roma naar de Ophra Winfrey Show om haar op de nationale televisie, ten overstaan van meer dan een miljoen kijkers, te vertellen wat ik iedere dag in mijn hart voel:

'Liefste, je hebt me eten gegeven in het concentratiekamp toen ik honger had. En nog steeds heb ik honger naar datgene waarvan ik nooit genoeg zal krijgen: ik honger naar jouw liefde.'

Herman en Roma Rosenblat
zoals verteld aan Barbara De Angelis

Overal Olie

Mijn grootouders waren meer dan een halve eeuw getrouwd en nog steeds speelden ze hetzelfde spelletje als toen ze elkaar pas hadden ontmoet. Het spelletje hield in dat ze het woord 'Olie' schreven op die plaatsen waar de ander het bij verrassing zou vinden. Om de beurt lieten zij ergens in huis hun 'Olie' achter en als de ander het woord had ontdekt, moest die het weer verstoppen.

Ze schreven met hun vingers 'Olie' in de suiker en de meel als de ander die ingrediënten voor de volgende maaltijd zou gebruiken. Ze schreven het op de beslagen ramen, die uitkeken op het terras waar mijn grootmoeder ons haar zelfgemaakte pudding gaf. 'Olie' werd op de spiegel geschreven na een stomend bad en was keer op keer na het douchen weer zichtbaar. Mijn grootmoeder heeft zelfs ooit een hele rol toiletpapier afgerold om het op het laatste blaadje te schrijven.

Op oneindig veel plaatsen dook het woordje 'Olie' op. Snel geschreven briefjes werden in het dashboardkastje, op de autostoel gevonden of vastgeplakt aan het stuur. Zulke briefjes werden ook in schoenen en onder hoofdkussens ontdekt. 'Olie' werd geschreven in het stof op de schoorsteenmantel en in de as van de open haard. Dit mysterieuze woord hoorde net zoals het meubilair bij het huis van mijn grootouders.

Het heeft lang geduurd voor ik dit spelletje kon waarderen. Ik was sceptisch en geloofde niet in de ware liefde, zuiver en blijvend. Aan de relatie van mijn grootouders heb ik echter nooit getwijfeld. Hun liefde was echt. Het was meer dan hun flirterige spelletjes; het was hun manier van leven. Hun relatie was gebaseerd op hartstochtelijke genegenheid en oprechte toewijding en dat is niet bij iedereen zo.

Oma en opa hielden als het even kon elkaars hand vast. Ze gaven elkaar kusjes als ze in hun kleine keukentje tegen elkaar opbotsten. Ze maakten elkaars zinnen af en deden samen de dagelijkse kruiswoordraadsels en woordspelletjes. Mijn oma fluisterde mij toe hoe aantrekkelijk mijn opa was geweest en wat een knappe oude man hij was geworden. Zij was van mening dat ze de beste had gekozen. Aan het begin van elke maaltijd bogen zij het hoofd en dankten voor alle zegeningen in het leven: een fantastisch gezin, geluk en elkaar.

Er hing echter een donkere wolk boven het leven van mijn grootouders: mijn oma had borstkanker. De ziekte had zich tien jaar geleden geopenbaard. Als altijd week mijn opa niet van haar zijde. Hij troostte haar in hun gele kamer. Geel, omdat zelfs als ze te ziek was om naar buiten te gaan, het toch was alsof ze in het zonlicht lag.

Een volgende aanval van de kanker op haar lichaam volgde. Met een stok en aan mijn opa's zekere hand ging ze toch iedere ochtend naar de kerk. Maar mijn oma werd zwakker en zwakker en uiteindelijk kon ze het huis niet meer uit. Een tijdlang ging mijn opa alleen naar de kerk en bad tot God om over zijn vrouw te waken. Op een dag gebeurde dat waar we allemaal bang voor waren: oma was weg.

Op de roze linten van haar grafkrans stond in het geel 'Olie'. Toen de meeste mensen vertrokken waren, gingen mijn tantes, ooms, nichten en neven en andere familieleden voor het laatst om mijn oma staan. Mijn opa deed een stap naar voren, naar de kist van oma, haalde bibberend diep adem en begon te zingen. Met de tranen in zijn ogen en een gezicht verwrongen van verdriet zong hij gedempt een troostend slaapliedje.

Hoewel ik vol was van mijn eigen verdriet, zal ik dat moment nooit vergeten. Ik wist toen, hoewel ik hun liefde niet kon doorgronden, dat ik getuige was van iets van onpeilbare schoonheid en ik voelde me bevoorrecht.

'Olie': Onze liefde is eeuwig.

Bedankt, oma en opa, dat jullie me dit hebben laten zien.

Laura Jeanne Allen

Een Iers liefdesverhaal

Wat wordt liefgehad is altijd mooi.

Noors gezegde

Laten we hem Ian noemen. Dat is wel niet zijn naam, maar in het Noord-Ierland van vandaag moet je voorzichtig zijn met het openbaar maken van je echte naam. Er zijn al meer dan vierentwintighonderd mensen vermoord vanwege hun geloof sinds de recente opleving van de problemen tussen katholieken en protestanten. Het is zinloos om risico's te nemen.

Ian heeft het trouwens in zijn vierentwintig levensjaren al moeilijk genoeg gehad.

Hij kwam uit een goed protestants gezin. Mensen die met de regelmaat van de klok, iedere zondag twee keer naar de kerk gaan. Zijn vader was lasser op de scheepswerf van Belfast, een bikkelharde man. Zijn moeder hield het huis schoon en netjes en bakte het beste brood van de buurt en regeerde de familie met haar scherpe tong. Zijn twee oudere broers waren werkloos.

Ian was goed op school geweest en verdiende daarna in een fabriek een flink salaris. Hij was stil, serieus en hield van wandelen op het platteland tijdens de avonduren en de zonovergoten weekenden van de zomer. Bovenal hield hij van lezen bij een knappend haardvuur in de lange, donkere winter. Hij had nog niets te maken met meisjes. Mannen schijnen laat te trouwen in Ierland.

Twee jaar geleden, op zijn tweeëntwintigste verjaardag, liep Ian terug van zijn werk toen een terrorist een bom vanuit een rijdende auto gooide ... en hem in de nachtmerrie van plotselinge blindheid stortte.

Hij werd met spoed naar het ziekenhuis gebracht waar ze hem onmiddellijk opereerden aan inwendige verwondingen en gebroken botten. Zijn beide ogen waren echter verwoest.

Met de tijd heelden de wonden, maar de littekens zouden zijn lichaam altijd blijven misvormen. De littekens in zijn geest, onzichtbaar, waren echter erger.

Hij sprak weinig, at en dronk bijna niets en sliep nauwelijks. Hij lag alleen maar in bed, piekerend en blind, vier maanden lang.

Er was één verpleegster die wat menselijk contact met hem leek te kunnen krijgen. Laten we haar Bridget noemen, een echte Ierse naam. Ze kwam uit een goed katholiek gezin, van die mensen die iedere zondagochtend vroeg naar de mis gaan.

Haar vader was timmerman en hij werkte meestal in Engeland. Een fatsoenlijke man die zijn gezin liefhad en de weekenden bij hen was als hij de reis kon betalen. En zij hielden van hem zoals alleen van een afwezige vader kan worden gehouden.

Haar moeder zorgde ervoor dat het rommelige huis schoon was, kookte de beste stoofpot van de buurt en regeerde haar gezin met losse hand en een goed hart.

Ze had zes broers en vier zussen. De jongste van elf, Mary, was haar vaders lieveling.

Bridget was goed op school en had in een beroemd ziekenhuis in Londen de opleiding tot verpleegster gevolgd. Nu, op haar eenentwintigste, was ze verpleegster in het grootste ziekenhuis van Belfast.

Ze was vrolijk, maar innerlijk serieus. Ze vertolkte de volksliedjes op haar eigen manier en met een fluwelen stem. Ze had nog niet veel te maken gehad met vriendjes, ook al waren de jongens wel in haar geïnteresseerd.

Ze voelde zich aangetrokken tot Ian, er was iets van een verdwaalde kleine jongen in hem dat haar tot tranen toe ontroerde. Hoewel hij haar tranen niet kon zien, was ze bang dat hij ze wel in haar stem kon horen.

Ze had wel gelijk dat haar stem hem veel vertelde. Het ritme en het lachen ervan trokken hem uit zijn depressie en sleurden hem uit de put van zelfmedelijden. Hij voelde de warmte en liefde in haar woorden en de kracht als zij sprak over de goedertierenheid van Jezus Christus.

Tijdens die periode waarin de dagen van duisternis overgingen in weken en maanden, richtte hij zich naar haar stem als een bloem die zich buigt naar de zon.

Na een verblijf van vier maanden in het ziekenhuis werd hij blijvend blind verklaard, maar hun liefde voor elkaar gaf hem de kracht deze handicap te accepteren. Ze hielden van elkaar en leefden op die prachtige roze wolk, ook al hadden ze alles tegen zich: religie, politiek en vooral tegenstand van hun beider families.

Hij werd uit het ziekenhuis ontslagen en toen brak de moeilijke tijd van revalidatie aan: zich wassen en scheren zonder hulp, door het huis lopen zonder overal tegenaan te botsen, over straat gaan met een witte stok, braille lezen en het verstikkende medelijden, dat hij overal bespeurde, overleven. Hun liefde gaf hem de hoop om verder te gaan en te blijven proberen.

Niet dat ze veel tijd samen konden doorbrengen; af en toe een avondje, soms een middagje als haar diensten het toelieten. Maar ze leefden van deze korte ontmoetingen en ervoeren het begin van vrede en vreugde.

Hun familie was ontzet. Denken aan trouwen? Gods wet zou het zeker verbieden.

'Hoe kan het kind van het licht zijn gelijke vinden in een kind van de duisternis?' donderde zijn vader. 'Je zult haar niet trouwen zolang ik leef!'

'De rooms-katholieke kerk,' verklaarde haar pastoor, 'ontmoedigt gemengde huwelijken, dus je kunt het idee maar beter uit je hoofd zetten.'

Door alle pressiemiddelen, zoals argumenten, dreigementen, beloftes en zelfs grove leugens, werden ze uit elkaar gedreven. Zij voelden zich diep ellendig, maakten ruzie en zeiden kwetsende dingen tegen elkaar. Toen op een druilerige avond het kil om hun hart was liep zij weg en liet hem huilend, alleen, op straat achter.

Hij trok zich terug in zijn eeuwige nacht. Dagen en weken

vol bitterheid. 'Je zult er niet lang spijt van hebben,' zeiden ze hem. 'Het is vragen om moeilijkheden als je met een ongelovige omgaat.'

Zij trok zich terug in haar werk, het deed te zeer om erover na te denken. Weken en maanden voelde ze een verdovende pijn. 'Eens zul je de Almachtige dankbaar zijn,' vertelden ze haar. 'Trouwen met een protestant is als vragen om de hel!'

Maanden werden een jaar. Tot groot verdriet van Ierland bleven de bomaanslagen doorgaan.

Op een avond, Ian was alleen thuis, werd er hard op de deur gebonsd. 'Ian, kom snel!'

Hij herkende de stem van Mary, Bridgets jongste zusje. Haar stem klonk hysterisch en gesmoord door tranen: 'Een bom. Ze zit vast en is half dood. Ze gilt om jou. Kom Ian. In Godsnaam kom, alsjeblieft.'

Zonder zelfs maar de deur achter zich te sluiten, nam hij haar hand. Ze liep, struikelde en huilde met hem door de meedogenloze straten.

De bom had een klein restaurant verwoest. Bridget had er met twee collega's gegeten. De anderen hadden onder de puinhopen vandaan kunnen kruipen, maar Bridget zat met haar benen klem en het vuur kwam steeds dichterbij.

Ze hoorden haar gillen, maar ze konden de plek waar zij lag nog niet bereiken. De brandweer, soldaten met lampen en speciaal gereedschap waren onderweg.

Ian liep de chaos in. 'Je kunt niet naar binnen,' schreeuwde de politieman die de leiding had.

'Ze is mijn vriendin,' zei Ian.

'Doe niet zo vreselijk idioot!' schreeuwde de man. 'Je kunt geen hand voor je ogen zien in het donker.'

'Wat maakt dat nou uit voor een blinde?'

Hij liep op het geluid van haar stem af en bewoog zich door die zwarte hel met alle vaardigheden en instincten van een blinde en voortgestuwd door de liefde. 'Ik kom, Bridget! Ik kom.'

Hij vond haar, pakte teder haar hoofd vast en kuste haar.

'Ian,' fluisterde ze, 'Ian...' Ze viel flauw en lag als een slapend kind in zijn armen.

Terwijl zijn kleren doordrenkt raakten van haar bloed en het vuur hen bereikte, hield hij haar vast tot de reddingswerkers zich een weg hadden gebaand. Wat hij niet kon zien was dat één kant van haar lieve gezicht verbrand was.

Na een lange, lange tijd herstelde ze. Ondanks plastische chirurgie bleef haar gezicht getekend. 'De enige man van wie ik hou zal het nooit kunnen zien, dus wat maakt het mij nou uit,' reageerde Bridget. Ze pakten hun liefde op waar ze waren gebleven en waar ze eigenlijk nooit waren weggegaan.

Natuurlijk werden ze door beide families tegengewerkt. Het mondde tijdens een dramatische ontmoeting zelfs uit op een vechtpartij: geschreeuwde beledigingen en wanhopige bedreigingen. Te midden van dit alles nam Ian de hand van Bridget en samen liepen ze weg van die plaats vol haat.

En ja, ze trouwden. Alle conventionele waarschuwingen voor mislukkingen ten spijt. Kent u iets mooiers dan liefde en een betere manier om te genezen?

George Target

Koraalrood of wijnrood?

Richard trof me hartstochtelijk huilend aan in het ziekenhuisbed. 'Wat is er?' vroeg hij. Hij wist dat we beiden genoeg redenen tot huilen hadden. In de afgelopen achtenveertig uur was ons duidelijk geworden dat ik een kwaadaardige knobbel in mijn borst had met uitzaaiingen naar de lymfeknopen en mogelijk een plekje op mijn hersenen. We waren allebei tweeëndertig en hadden drie jonge kinderen.

Richard trok me dicht tegen zich aan en probeerde me te troosten. Familie en vrienden waren verbaasd geweest over de rust die over ons was gekomen. Wij voelden echter dat Jezus onze verlosser was voordat er kanker bij mij was vastgesteld en hij bleef het ook daarna. Maar Richard dacht dat ik me de vreselijke realiteit ineens in volle omvang besefte, toen hij even de kamer uit was.

Hij hield me stevig vast. 'Het is allemaal wat te veel, niet-waar Suz?' zei hij.

'Dat is het niet,' huilde ik en ik hield de spiegel omhoog die ik net in het laatje van mijn kastje had gevonden. Richard keek me verwonderd aan.

'Ik wist niet dat het zo zou zijn,' snikte ik, terwijl ik ontgoocheld naar mijn spiegelbeeld keek. Ik herkende mezelf niet. Mijn gezicht was heel erg gezwollen. Na de operatie had ik in mijn slaap liggen grommen en goedwillende vrienden hadden daarop mijn medicatie laten verhogen om zodoende mijn vermeende pijn te bestrijden. Helaas bleek ik allergisch voor morfine en zwelde op als een worstje op het vuur. De vlekken betadine van de operatie zaten nog op mijn hals, schouder en borst en ik mocht nog niet in bad. Er hing een slang uit mijn wond, een drain voor het operatievocht. Mijn linkerschouder en -borst waren goed ingezwachteld op de plek waar ik een stukje borst was kwijtgeraakt. Mijn lange, bruine krullen waren zo plat als een vaatdoek. De afgelopen achtenveertig uur waren er meer dan honderd mensen op bezoek geweest en zij hadden allemaal deze bruin-witte, opgezwollen, make-uploze, grijs geklede vrouw met een kapsel als een natte dweil gezien. Waar was ik gebleven?

Richard legde mijn hoofd terug op het kussen en ging de kamer uit. Een paar minuten later was hij alweer terug, handen vol kleine flesjes shampoo en crèmespoeling die hij ergens in de hal op een kar had ontdekt. Hij trok kussens uit de kast en schoof een stoel naar de wasbak. Hij ontwarde mijn intraveneuze slangen en stopte het zakje van de drain in zijn borstzakje. Toen boog hij zich voorover, tilde me op en droeg mij en de infuusstandaard naar de stoel. Hij ging zitten en nam mij voorzichtig op schoot. Daarna liet hij mijn hoofd achterover op zijn arm rusten en begon het warme water door mijn haar te spoelen. Hij verdeelde de inhoud van de flesjes over mijn haar, waste en masseerde mijn lange krullen. Toen hij daarmee klaar was deed hij een handdoek om mijn haar en droeg mij, de drain en de infuusstandaard terug naar het bed. Hij deed het zo voorzichtig dat geen enkele hechting losliet.

Mijn echtgenoot die in zijn hele leven nog nooit een föhn had vastgehad, pakte hem en droogde mijn haar. Ondertussen amuseerde hij mij met zijn zogenaamde schoonheidsadviezen. Hij stak mijn haar op. Dat had hij geleerd door twaalf jaar toe te kijken. Ik moest lachen toen hij op zijn lip beet. Hij was serieuzer dan welke aspirant schoonheidsspecialist ook. Hij waste mijn schouder en hals met een warme washand, heel voorzichtig om de plek waar geopereerd was heen en hij wreef mijn huid in met body lotion. Toen maakte hij mijn toilettas open en pakte mijn make-up. Ik zal nooit vergeten hoe we lachten toen hij bij mij mascara en rouge opbracht. Ik sperde mijn ogen wijdopen en hij deed met trillende hand de mascara op mijn wimpers. Met een tissue wreef hij de rouge op mijn wangen. Op het laatst hield hij twee lipsticks omhoog. 'Welke wilt u? Koraalrood of wijnrood?' vroeg hij. Als een kunstschilder op doek tekende hij met de lipstick en hield daarna de spiegel weer voor me omhoog.

Ik was weer mens. Nog wel een beetje gezwollen, maar ik rook schoon en mijn haar hing zacht over mijn schouders en ik herkende mezelf weer.

'Wat vind je ervan?' vroeg hij. Ik begon weer te huilen, ditmaal echter omdat ik dankbaar was. 'Niet doen, lieverd. Je verpest mijn make-up.' Ik barstte in lachen uit.

Gedurende deze moeilijke periode in ons leven, was de prognose voor mij dat ik slechts veertig procent kans had om nog vijf jaar te leven. Dat was zeven jaar geleden. Ik ben al die jaren doorgekomen met lachen, Gods steun en de hulp van mijn fantastische echtgenoot. Dit jaar vieren we ons negentien jaar samenzijn en onze kinderen zijn nu tieners. Dat wat toen op ijdelheid en dwaasheid leek, had Richard op zijn juiste waarde geschat. Alles wat ik als vanzelfsprekend had aangenomen, schudde op zijn grondvesten, het feit dat ik mijn kinderen kon zien opgroeien, mijn gezondheid, mijn toekomst. Met deze lieve daad bracht Richard mij weer in harmonie. Ik zal dit moment altijd als een van de liefdevolste momenten in ons huwelijk beschouwen.

T. Suzanne Eller

Liefkozen

Wat uit het hart komt, raakt het hart.

Don Sibet

Michael en ik merkten nauwelijks dat de serveerster de borden op onze tafel zette. We zaten in een klein restaurantje ver weg van de drukte in Third Street, New York City. Zelfs de geur van de pas gearriveerde blintzes kon ons geanimeerd gesprek niet onderbreken. De blintzes bleven nog even drijven in hun zure roomsaus. We hadden het te druk met praten om te eten.

Onze uitwisseling van gedachten was levendig, niet diepgaand. We lachten over de film die we de vorige avond hadden gezien en verschilden van mening over de betekenis van de tekst die we net hadden gelezen voor ons literatuurcollege. Hij vertelde over het moment waarop hij besloot volwassen te worden en met 'Michael' wilde worden aangesproken en weigerde nog te luisteren naar 'Mickey'. Was hij toen twaalf of veertien geweest? Hij wist het niet meer, maar hij herinnerde zich wel dat zijn moeder had gehuild en gezegd dat hij te snel groot werd. Terwijl we onze bosbessenblintzes aten, vertelde ik hem over de bessen die mijn zuster en ik altijd plukten als we bij onze nichtjes en neefjes op het platteland op bezoek waren. Ik herinnerde me dat ik de mijne altijd al op had voordat we thuis waren, en dat mijn tante me dan waarschuwde voor erge buikpijn, die ik natuurlijk nooit heb gekregen.

Hoewel ik opging in ons gesprek zag ik in een hoekje aan de andere kant van het restaurant een ouder paar zitten. De stof van haar bloemetjesjurk was net zo vaal als de kussens waarop haar versleten handtas lag. De bovenkant van zijn hoofd leek op het zachtgekookte ei dat hij langzaam aan het eten was. Zij at ook traag haar havermout.

Ze trokken mijn aandacht, omdat zij zo stil waren. Het leek me alsof er een melancholische stilte in hun kleine hoekje hing. De uitwisseling van gedachten tussen Michael en mij ging van lachen tot fluisteren, van bekentenissen tot aanvallen. Het pijnlijke zwijgen van dit oudere stel zette me aan het denken. Wat triest om uitgesproken te zijn, dacht ik. Was er geen bladzijde in elkaars verhaal die ze nog niet hadden gelezen? Stel dat dat ons ook gebeurt?

Michael en ik betaalden onze rekening en liepen het restaurant uit. Toen we langs het hoekje met het oudere paar kwamen viel mijn portemonnee. Ik bukte me om hem op te rapen en keek toevallig onder de tafel. Daar zag ik dat ze elkaar met hun vrije hand vasthielden. Al die tijd hadden ze hand in hand gezeten.

Ik stond op en voelde me nederig door het simpele, maar oprechte gebaar van verbondenheid waarvan ik zojuist getuige was. Dat de man de vermoeide hand van zijn vrouw zachtjes streelde verwarmde niet alleen het naar ik dacht kille hoekje, maar ook mijn hart. Hun zwijgen was niet het gevreesde, ongemakkelijk stil zijn tijdens een eerste afspraakje. Nee, hun zwijgen was een ontspannen, tedere liefde die weet dat je niet altijd woorden nodig hebt om uit te drukken wat je voelt. Waarschijnlijk deelden ze al jaren, iedere ochtend, dit moment met elkaar en misschien was deze morgen niet veel anders dan die van gisteren, maar ze hadden er vrede mee en ook met elkaar.

Misschien zou het dan niet zo erg zijn als wij eens ook zo zouden zijn, dacht ik toen Michael en ik naar buiten liepen. Misschien zou dat zelfs wel heel fijn zijn.

Daphna Renan

Wat betekent het om lief te hebben?

Aanwezigheid is meer dan er alleen maar zijn.

Malcolm Forbes

Wat betekent het om lief te hebben? Het is meer dan gewoon getrouwd zijn of iemand beminnen. Er zijn miljoenen mensen getrouwd, miljoenen hebben seks, maar slechts enkelen hebben echt lief. Om lief te hebben moet je je verbinden aan en meedoen in de eeuwige dans van intimiteit met je partner.

Je hebt lief als je het geschenk dat je partner is waardeert en dat iedere dag viert.

Je hebt lief als je bedenkt dat je je partner niet bezit maar in bruikleen hebt van het universum.

Je hebt lief als je beseft dat er niets tussen jullie gebeurt dat geen waarde heeft, dat alles wat je in een relatie zegt vreugde of verdriet bij je partner kan veroorzaken en dat alles wat je doet de relatie kan verzwakken of versterken.

Je hebt lief als je dit alles begrijpt en daarom iedere morgen wakker wordt, dankbaar voor nog een dag waarin je plezier kunt hebben van je partner en kunt liefhebben.

Word je bemint, dan ben je rijk gezegend. Je hebt een ander geschonken gekregen die ervoor gekozen heeft naast je te lopen. Hij of zij zal je dagen en nachten, je bed en lasten delen. Je geliefde zal al je geheime kanten zien die niemand ooit ziet. Hij of zij zal al die plekjes van je lichaam aanraken die niemand ooit aanraakt. Je geliefde zal zoeken waar je je hebt verstopt en een haven creëren in liefdevolle, veilige armen.

Je geliefde geeft je iedere dag een overvloed van wonderen. Hij heeft de macht je op te vrolijken met een glimlach, zijn stem, de geur in zijn hals, de manier waarop hij beweegt. Zij heeft de macht je eenzaamheid te verdrijven. Hij heeft de macht het gewone bijzonder te maken. Zij is jouw hemelpoort op aarde.

Barbara De Angelis

2

De ware liefde vinden

Van ieder mens stijgt een licht op dat reikt tot in de hemel en als twee zielen die tot elkaar zijn voorbestemd elkaar ontmoeten, dan zullen die lichten samengaan en hieruit zal dan één enkel helderder licht voortkomen.

Ba'al Shem Tov

Vertrouwen testen

Liefde geneest mensen, zowel hen die haar geven als zij die haar ontvangen.

Karl Menninger

Het was kil die avond toen Wes Anderson in zijn zilveren sedan stapte. De ietwat gezette dominee van de Carmichael Christian Church in Sacramento, Californië, was vierendertig jaar oud. Hij had net een vergadering met enkele leden van zijn kerkgemeenschap afgesloten. Het was half negen, 7 maart 1994.

'Een prettige avond verder, dominee,' riep iemand hem nog toe.

'Ik zal mijn best doen,' antwoordde Wes. Hij voegde er nadrukkelijk aan toe, met die typisch zuidelijke tongval uit Tennessee: 'Ik hoop jullie zondag allemaal te zien.'

Wes had strafrecht gestudeerd tot hij voor de Kerk wilde gaan werken. In 1992 was hij naar Carmichael gekomen en de kerkgemeente, met 110 leden, was ingenomen met de vriendelijke man met zijn brede glimlach.

Toen hij naar huis reed zag Wes dat de achtenzeventigjarige Dorothy Hearst, een van zijn leden, beklemd zat na een kettingbotsing. Wes stopte om haar te helpen en hij was opgelucht te zien dat zij alleen maar geschrokken was. Plotseling zagen ze twee lichten met hoge snelheid op hen af komen. 'Dorothy!' schreeuwde Wes. 'Hij gaat ons raken!' Hij duwde haar net opzij, toen een wagen zijn rechterkant raakte en hem tegen Dorothy's auto sloeg. Zijn rechterbeen explodeerde van pijn. Hij lag kronkelend van pijn op het asfalt, zijn been was er bijna helemaal af.

De ambulance kwam het Medisch Centrum Davis van de Universiteit van Californië binnen. En een arts gaf Wes een formulier waarop zijn toestemming voor chirurgische ingrepen werd gevraagd. 'Er is geen andere manier om u dit te zeggen, maar uw rechterbeen zal waarschijnlijk moeten worden geamputeerd,' zei de dokter.

Kort na de operatie kreeg Wes vreselijke kramp in zijn rechterkuit. Hij wilde de plek masseren, maar bedacht zich. Er was daar niets meer.

Fantoompijn, fysieke pijn die iemand ervaart omdat de hersens signalen geven alsof de geamputeerde ledematen er nog zijn, zou hem voortaan tergen. Steeds vertrok zijn gezicht door de scherpe pijnscheuten in het been dat er niet meer was. Dat alles vanwege James Allen Napier, die dronken achter het stuur was gekropen en hiervoor een gevangenisstraf van acht maanden kreeg.

Na verloop van tijd werd Wes depressief. Het resterende deel van zijn been zat vol littekens als gevolg van alle operaties. Zijn buik was een plattegrond van rode striemen, omdat er stukjes huid vanaf waren genomen.

Hij beklaagde zich tegenover Mike Cook, een vriend en predikant van de Carmichael Christian zusterorganisatie. 'Het is niet eerlijk. Ik wilde ooit een vrouw en kinderen, maar welke vrouw wil mij nou nog met al die littekens?'

'Het leven is niet eerlijk,' antwoordde Mike. 'Misschien was dat ook niet zo bedoeld. Er gebeuren vreselijke dingen met goede mensen maar realiseer je wel, Wes, dat je een leven hebt gered. Ik weet dat het moeilijk is om te geloven, maar God heeft met alles een bedoeling.'

Wes keek de andere kant op. Ook hij had altijd gepreekt dat je moet geloven zelfs als het moeilijk is. 'God heeft altijd een plan,' vertelde hij dan. 'Vertrouw op zijn wil.' Die woorden waren eens zo bepalend, maar leken nu zo betekenisloos voor hem.

Een verslaggever van de *Sacramento Bee* vroeg of hij het verhaal van Wes mocht opschrijven. Zijn eerste reactie was 'Nee', hij wilde niet als held worden geportretteerd. De journalist beloofde echter dat hij alleen maar zou weergeven wat er was gebeurd en toen gaf Wes toestemming. Wie weet is het nog ergens goed voor, dacht hij.

Virginia Bruegger gooide de *Sacramento Bee* van 16 maart op de stapel naast haar bed. Zoals gewoonlijk was ze de dag doorgeworsteld. Eerst wilde haar auto niet starten en vervolgens miste ze de bus. Het afgelopen jaar volgde deze achtendertigjarige, gescheiden moeder een meedogenloos schema van colleges, studeren en stage lopen om haar kandidaatsdiploma te halen in gedragswetenschap aan de Universiteit van Californië, te Davis. Op dit moment, halverwege het laatste jaar, waren er bijna geen eindjes meer om aan elkaar te knopen.

Net toen ze aan de keukentafel ging zitten om te studeren werd haar zoon van zestien ziek als gevolg van voedselvergiftiging. Virginia strompelde om drie uur 's nachts uitgeput naar haar kamer. De druk op haar schouders was ineens verpletterend. Doe ik het wel goed? vroeg ze zich af. Zal ik ooit een baan vinden na mijn afstuderen?

Haar oog viel op de kop van een krantenartikel: 'Predikant verliest been bij redding van vrouw na auto-ongeluk'. Ze pakte het stuk krant en begon te lezen.

Mijn hemel, wat heeft hij meegemaakt. Ze stopte bij het citaat van de dominee waarin hij uitlegde waarom hij zijn verhaal vertelde. Hij hoopte dat het mensen geestelijk op weg zou helpen.

Alsof hij het tegen mij heeft, dacht Virginia. Ze was religieus opgevoed in het kleine stadje Bushton in Kansas. Sinds haar scheiding was ze echter van het geloof afgedwaald en ze kon zich, tot nu toe, geen gebed meer herinneren.

De zon kwam op en over een paar uur had ze alweer college. Niet vandaag, dacht Virginia. Iets vertelde haar dat ze deze man moest ontmoeten.

Wes werd wakker na de zevende operatie in tien dagen en had geen idee wat hij moest denken van die vrouw in de deuropening met een klimop in haar handen. Haar glanzende bruine ogen keken verlegen totdat ze glimlachte, toen straalde haar hele gezicht.

'Ik wilde u alleen maar bedanken,' begon Virginia. Ze zocht naar woorden. Wat zal ik tegen hem zeggen? Tientallen kaarten stonden op het nachtkastje en hingen aan de muur. In iedere hoek van de kamer stonden bloemen, van vrienden, familie en leden van de Kerk. Zijn verhaal had blijkbaar niet alleen haar geraakt.

'Ik heb het krantenartikel gelezen en ik wilde u vertellen wat het verhaal voor mij heeft betekend,' zei ze. 'Het heeft mijn beeld over wat ik doormaak veranderd. Ik heb het de laatste tijd nogal moeilijk.'

Klink ik niet te klagerig? vroeg ze zich af. Deze man heeft per slot van rekening een zware tijd achter de rug – wat betekenen dan de zorgen om een paar nota's en school? De uitdrukking op het gezicht van Wes stelde haar echter gerust. 'Uw verhaal hielp me beseffen dat ik weer in het reine moet komen met de Heer.'

Wes bekeek de vreemde aandachtig. Vanaf het moment dat hij in het ziekenhuis lag, had hij voortdurend pijn gehad. Dit bezoek leidde hem af en daardoor dacht hij even minder aan zichzelf, maar meer aan hoe hij kon helpen. 'Ga je naar een kerk?' vroeg hij.

Virginia schudde haar hoofd. Wat simpel eigenlijk. Hij komt direct tot de kern, dacht ze en ze schudde hem de hand. Wes trok zijn hand snel terug. Ik hoop niet dat ik te opdringerig ben geweest, dacht ze weer.

Het was niet zijn bedoeling geweest zo snel terug te trekken. Het was een instinctieve reactie geweest. Hij voelde zich nog steeds gewond en was moe. Hij vond het wel grappig dat zij hem bedankte en hij voelde zich op een bepaalde manier al wat beter.

Nog dezelfde week na haar kennismaking met Wes vond Virginia een kerk dicht bij haar huis en ze stuurde Wes een briefje. Twee weken later bezocht ze hem voor de tweede keer. Tijdens dat bezoek spraken ze over elkaars leven. Ze praatten over haar colleges, haar vooruitzichten op werk en hoe het met zijn fysiotherapie ging.

Op weg naar huis dacht Virginia: 'Het is zo makkelijk praten met hem.' Om de paar dagen stuurde ze hem een berichtje of ging op bezoek.

Ongeveer twee maanden na het ongeluk belde Virginia Wes op. 'Ik mag naar huis vandaag,' zei Wes en ze hoorde aan zijn stem dat hij opgewonden was.

Nadat ze had opgehangen sprong Virginia in een onverklaarbare opwelling in haar auto en reed snel naar het ziekenhuis.

'Wat doe jij hier?' vroeg Wes verbaasd.

'Dat weet ik niet zeker, maar het was alsof ik hier zijn moest,' zei ze.

Wes glimlachte. 'Daar ben ik blij om.' Toen ze zijn kleine kerk naderden kreeg Wes tranen in zijn ogen. Er hingen zoveel linten aan het smeedijzeren hek dat het leek alsof het begroeid was met gele, bloeiende bloemen. Kinderen sprongen op en neer en zwaaiden naar de auto. Op spandoeken stond: 'We houden van u! Welkom thuis, dominee Anderson!'

Ook Virginia had de tranen in haar ogen.

In juni dat jaar liep zij, gekleed in het officiële tenue van de universiteit, trots door het gangpad van het auditorium om haar diploma in ontvangst te nemen. Wes kon er niet bij zijn vanwege zijn werkzaamheden, maar hij had wel bloemen gestuurd. Een paar avonden later ontmoetten de twee vrienden elkaar voor een diner samen met hun ouders. Ze hadden zoveel gemeen: niet alleen waren hun ouders allebei meer dan veertig jaar getrouwd, ze waren ook beiden opgegroeid met de Methodisten Kerk.

'Je praat zelfs net zoals ik!' grapte Wes.

Maar Virginia diende hem van repliek: 'Ik praat wel een beetje lijzig met een zuidelijke tongval, maar niet zo erg als jij.'

Thuis kleedde Wes zich om om naar de kerk te gaan. Net toen hij zijn overhemd dichtknoopte viel hij achterover. Hij kwam boven op zijn stomp terecht en gilde het uit van de pijn. Hij moest hierna negen dagen op bed blijven. Hij was altijd zo trots geweest op zijn onafhankelijkheid en kracht, maar nu bekropen hem echter twijfel en verdriet.

Hij werd zelfs onzeker over zijn relatie met Virginia. 'Ik mag haar heel graag, maar ik ben zo bang dat het allemaal medelijden is. Ik weet dat ik nooit het uiterlijk van een filmster heb gehad, maar moet je me nu eens zien,' vertrouwde hij Mike toe.

'Wes, je bent niet meer of minder dan voor het ongeluk,'

verzekerde deze hem. 'Alleen het innerlijk telt.'

Virginia had al een paar dagen niets van Wes gehoord. Ze dacht na over hun laatste ontmoeting, een bezoek aan het nationale monument van Muir Woods. Ze vroeg zich af of ze iets verkeerds had gezegd. Ze hadden openhartig gesproken over haar scheiding en het gevecht om er een beter leven van te maken voor Steve en haarzelf. Als ze met andere mannen uitging was ze altijd bezorgd over waar het toe zou leiden. Zulke gedachten had ze nooit als ze bij Wes was. Hij was anders dan de andere mannen die ze had gekend.

Toen Wes eindelijk belde nodigde hij haar uit om mee te gaan naar het jaarlijkse grote vuurwerk. Hij verraste haar door haar in zijn auto op te halen; het was een aangepaste wagen. Ze zaten onder een sterrenhemel en keken naar het vuurwerk. Virginia zei: 'Ik was benieuwd of ik je ooit nog eens zou zien.'

'Het spijt me,' zei Wes. 'Ik heb niet zoveel afspraakjes en als ik uitga met iemand, dan beschouw ik het als serieus. Ik koester onze vriendschap en ik wil die niet zomaar op het spel zetten, ik vind alleen...'

Virginia onderbrak hem: 'Wes, voordat je verdergaat...'

Wes keek strak naar beneden en bedacht: Nu gaat ze zeggen dat het beter is om gewoon vrienden te blijven.

Virginia ging verder: 'Je moet weten dat ik veel om je geef als persoon en niet omdat je één of twee benen hebt. Ik vind jou een complete man, een totaal mens.'

Wes luisterde verbaasd en zijn stem trilde van emotie toen hij zei: 'Ik hou van je.'

'Ik hou ook van jou, ' antwoordde Virginia. Ze kusten elkaar voor de eerste keer.

Met Pasen dat jaar hielpen Wes en Virginia met de voorbereidingen voor een buitendienst tijdens de zonsopgang. Wes ploeterde met zijn kunstbeen door het natte gras en verloor zijn evenwicht. Hij viel op de grond en voelde weer die oude woede, frustratie en twijfel.

Virginia rende naar hem toe, maar Wes durfde haar niet in de ogen te kijken uit angst wat hij daarin zou kunnen lezen. Angst! Medelijden? Hij twijfelde nooit aan haar, maar hij voelde zich zo kwetsbaar; een volwassen hulpeloze man.

Maar toen realiseerde hij zich ineens: Ik heb me geconcentreerd op de buitenkant terwijl mijn innerlijk genezen moet.

Virginia en een vriend hielpen hem overeind. Hij was geschokt en in verlegenheid gebracht, maar hij was niet bang meer. Hij zag in dat hij nu een man was die af en toe valt, maar die iedere keer weer sterker opstaat.

Op 27 mei 1995 liep Wes gekleed in een witte smoking met een zwarte stok door de zijdeur van de Carmichael Christian Church naar het altaar. Hij keek naar de ingang waardoor Virginia binnenkwam. Ze droeg een witte japon afgezet met pareltjes en werd begeleid door haar ouders.

Mike Cook leidde de trouwplechtigheid in de overvolle kerk. 'Twee zijn beter dan één,' preekte hij. 'Als één valt zal zijn vriend hem overeind helpen. Maar de man die niemand heeft om hem te helpen is beklagenswaardig.'

De dienst was ten einde en Wes draaide zich om en keek de kerk in. Hand in hand met Virginia liep hij van het altaar weg, de trap af, stap voor stap tot ze beneden waren.

Iets meer dan een jaar geleden had Wes zich afgevraagd wat Gods plan was.

Nu wist hij het.

Bryan Smith

Tweedehands

De enige verlichting in het kantoor van de rabbi was een straal zonlicht waarin stofjes dansten. Hij duwde zijn bureaustoel naar achteren, zuchtte en streek door zijn baard. Toen nam hij zijn bril af en veegde de glazen peinzend af aan zijn flanellen hemd.

'Je bent dus gescheiden en nu wil je deze goede, joodse jongen trouwen. Wat is dan het probleem?' vroeg hij.

Hij liet zijn grijze kin op zijn hand rusten en glimlachte vriendelijk naar mij.

Ik wilde het uitgillen. Wat is dan het probleem? Ten eerste ben ik een christen en ten tweede ben ik ouder dan hij is en in de laatste plaats, maar zeker niet onbelangrijk: ik ben gescheiden. In plaats van te gillen keek ik in zijn zachtmoedige bruine ogen en probeerde zinnen te formuleren.

Ik stamelde: 'Vindt u dat gescheiden zijn net zoiets is als al een keer gebruikt zijn? Zoiets als tweedehands?'

Hij leunde achterover in zijn stoel en strekte zich uit, zodat hij naar het plafond kon kijken. Hij streek langs zijn dunne baard die zijn kin en hals bedekte. Toen ging hij weer rechtop zitten en boog zich voorover naar mij.

'Stel dat je geopereerd moet worden. Stel dat je mag kiezen tussen twee dokters. Wie zou je dan kiezen? Diegene die net is afgestudeerd of die met ervaring?'

'Die met ervaring,' antwoordde ik.

Hij grijnsde. 'Dat zou ik ook doen.' Zijn ogen keken mij doordringend aan: 'In dit huwelijk ben jij degene met ervaring en dat is helemaal niet zo slecht.

Huwelijken raken vaak op drift en komen in gevaarlijke stromingen terecht. Ze zijn de koers kwijt en lopen vast op verborgen zandbanken. Niemand heeft iets door totdat het te laat is. Ik lees op jouw gezicht de pijn van een huwelijk dat slecht afliep. Jij zult degene zijn die de gevaarlijke stromingen ziet. Jij zult roepen als je obstakels ziet. Jij zult schreeuwen dat er opgepast moet worden. Jij hebt ervaring en dat is helemaal niet erg, geloof me maar. Helemaal niet,' zei hij.

Hij liep naar het raam en gluurde door de luiken naar buiten. 'Niemand hier weet van mijn eerste vrouw. Ik verberg het niet, maar ik spreek er ook niet over. Zij stierf al vroeg in ons huwelijk, nog voor ik hiernaartoe kwam. Nu denk ik 's nachts wel eens aan de woorden die ik toen nooit heb uitgesproken. Ik denk aan al die gemiste kansen in mijn eerste huwelijk. Ik geloof dat ik, door de vrouw die ik heb verloren, een betere echtgenoot voor mijn huidige vrouw ben.'

Voor het eerst begreep ik de droefheid in zijn ogen. Nu wist ik waarom ik naar deze man was gekomen om over het huwelijk te praten en niet de makkelijkste weg had genomen, namelijk trouwen zonder onze religie erbij te betrekken. Het woord rabbi betekent leraar en ik voelde dat hij mij kon leren de moed te hebben om weer te huwen en lief te hebben.

'Ik zal jou en David trouwen als jij mij belooft dat jij zult schreeuwen als je ziet dat het huwelijk in gevaar is,' zei de rabbi.

Dat beloofde ik hem en ik stond op om weg te gaan.

'Trouwens,' zei hij nog toen ik wat treuzelde bij de deur, 'wist je dat Joanna een echte Hebreeuwse naam is?'

Het is zestien jaar geleden dat de rabbi, op een regenachtige oktoberochtend, David en mij trouwde. Ik heb inderdaad verschillende keren geschreeuwd toen ik dacht dat we in gevaar waren. Ik had de rabbi graag willen vertellen hoe zijn verhaal mij heeft geholpen, maar dat kan niet meer. Hij stierf twee jaar na ons huwelijk, maar ik zal hem altijd dankbaar zijn voor zijn geschenk: de wijsheid dat al je ervaringen in het leven ons niet minder waard maken, maar juist waardevoller en dat je daardoor niet slechter, maar beter kunt liefhebben.

Joanna Slan

De voorspelling van de gelukskoekjes

Geen verrassing is zo magisch als die van geliefd worden; het is Gods hand op iemands schouder.

Charles Morgan

Ik was ik al drie keer getrouwd, voordat ik zeven jaar oud was.

Mijn oudere broer Gary verzorgde de plechtigheid in onze kelder. Gary hield de familie en buurtkinderen altijd bezig met zijn creatieve invallen. Daar was hij goed in. Als jongste jongen van de groep was ik vaak het lijdend voorwerp van zijn originele ideeën.

Van al deze bruiloften is me het beste bijgebleven dat alle meisjes zeker vijf jaar ouder waren dan ik en dat ze allemaal mooie ogen hadden, die straalden als ze lachten. Deze trouwerijen vormden mijn idee over hoe het zou zijn als ik op een dag mijn levenspartner zou vinden. Ik wist zeker dat ik haar zou herkennen aan haar mooie ogen.

Ik was een late puber. Toen ik vijftien was, was ik nog steeds bang voor het andere geslacht en toch vroeg ik elke avond in mijn gebeden om het meisje dat ik zou trouwen. Ik smeekte God dat zij goed op school, gelukkig en vol energie mocht zijn, wie en waar ze ook was.

Toen ik eenentwintig was kuste ik voor het eerst een meisje. Vanaf dat moment ging ik uit met mooie en getalenteerde jonge vrouwen. Ik zocht het meisje waar ik om had gebeden. Ik wist nog steeds zeker dat ik haar aan haar ogen zou herkennen.

Op een dag ging de telefoon. Het was mijn moeder: 'Don,

weet je nog dat ik vertelde over de Addisons die naast ons zijn komen wonen? Clara Addison vraagt me steeds je uit te nodigen om een avond te komen kaarten.'

'Het spijt me, ma. Ik heb al een afspraakje die avond.'

'Hoe kan dat nou? Ik heb je nog niet eens verteld welke avond!' antwoordde mijn moeder geërgerd.

'Het maakt niet uit wanneer. De Addisons zijn vast en zeker heel aardige mensen, maar ik ga geen avond verdoen door op bezoek te gaan bij mensen die geen huwbare dochters hebben.'

Zo koppig was ik. Ik wist zeker dat er geen enkele reden was voor mij om bij de Addisons op visite te gaan.

Jaren gingen voorbij. Ik was zesentwintig en mijn vrienden werden wat bezorgd over mijn huwelijksvooruitzichten. Zij zorgden voor talloze afspraakjes. Vele ervan draaiden uit op een fiasco en verstoorden mijn sociale leven. Daarom stelde ik een paar regels op voor zulke afspraakjes:

1. Geen afspraken op aanraden van mijn moeder (moeders begrijpen de sex-appealfactor niet).
2. Geen afspraken geregeld door vrouwen (ze zijn te weinig kritisch jegens elkaar).
3. Geen afspraken op aanraden van een vrijgezel (als ze zo fantastisch is waarom heeft hij haar dan zelf niet mee uit gevraagd?).

Met deze drie eenvoudige spelregels had ik me van negentig procent van mijn afspraakjes ontdaan, ook die van mijn oude vriendin Karen. Zij belde op een avond en vertelde dat ze bevriend was geraakt met een heel mooie vrouw. Ze moest gelijk aan mij denken. Ze zei dat we het zeker goed met elkaar zouden kunnen vinden.

'Het spijt me, ik doe het niet. Denk aan regel twee.'

'Je bent gek, Don. Door die stomme regels van jou loop je het meisje, dat voor jou geknipt is, mis. Maar jij je zin. Schrijf dan alleen haar naam en telefoonnummer op. Als je van gedachten verandert kun je haar altijd nog bellen.'

Om van Karen af te zijn zei ik dat ik dat zou doen. De naam was Susan Maready. Ik heb haar nooit gebeld.

Een paar weken later kwam ik mijn oude maatje Ted tegen, in de universiteitskantine. 'Ted,' zei ik, 'je lijkt wel op wolken te lopen.'

'Kun je de sterren onder mijn voeten zien?' lachte hij. 'Ik heb me gisteren verloofd.'

'Joh, gefeliciteerd!'

'Wat vind je ervan, op m'n tweeëndertigste? Ik begon al te denken dat geen enkele vrouw me wilde.' Hij trok zijn portemonnee uit zijn broekzak en zei plotseling ernstig: 'Hier, lees dit eens.'

Het was zo'n klein strookje papier dat in een gelukskoekje zit. 'U zult binnen een jaar getrouwd zijn' stond erop.

'Dat is grappig. Meestal staat er iets heel algemeens op. Zoiets als "U heeft een fantastische persoonlijkheid". Hiermee hebben ze wel een groot risico genomen,' meende ik.

'Is dat zo?' reageerde Ted. 'Neem mij nu als voorbeeld.'

Een paar weken later zat ik samen met mijn kamergenoot Charlie in een Chinees restaurant. Ik vertelde over de voorspelling van het gelukskoekje van Ted en zijn daaropvolgende verloving. Net op dat moment bracht de ober onze gelukskoekjes. Charlie moest hartelijk lachen over het toeval. We openden onze koekjes. In de mijne stond: 'U heeft een bijzondere persoonlijkheid.' Op die van hem stond: 'U of een goede vriend zal binnen een jaar getrouwd zijn.' Ik kreeg kippenvel. Dit was best vreemd. Ik vroeg of ik zijn papiertje mocht hebben en met een brede grijns overhandigde hij het mij.

Niet lang daarna zei mijn studiegenoot Brian dat hij me wilde voorstellen aan een jonge vrouw, Susan Maready. Ik wist zeker dat ik die naam al eens eerder had gehoord, maar ik kon me het waar en hoe niet herinneren. Brian was getrouwd en dus brak ik niet met mijn regels als ik inging op zijn uitnodiging om Susan te ontmoeten.

Susan en ik spraken telefonisch af dat we zouden gaan fietsen en eten. Toen kwam de ontmoeting. Zodra ik haar zag begon mijn hart te bonzen en hield er niet meer mee op. Haar grote groene ogen hadden een onverklaarbare invloed op mij. Ergens diep in mij wist ik het al wel; het was liefde op het eerste gezicht.

Na die heerlijke avond bedacht ik me dat het niet de eerste

keer was dat iemand geprobeerd had mij een afspraakje met Susan te laten maken. Langzaam kwam het weer boven. Haar naam was de hele tijd overal opgedoken. Zodra ik Brian alleen kon spreken vroeg ik het hem.

Hij draaide eromheen en probeerde van onderwerp te veranderen.

'Wat is er dan, Brian?' vroeg ik.

'Dat moet je Susan vragen,' was alles wat hij antwoordde.

Dat deed ik dus maar.

'Ik wilde je het vertellen,' zei ze. 'Ik wilde je het echt vertellen.'

'Wat is er dan, Susan? Wat wilde je me vertellen? Laat me niet in spanning.'

'Ik ben al jaren verliefd op je. Vanaf het moment dat ik je vanuit de woonkamer van de Addisons zag. Ja, ik was het die ze je wilden laten ontmoeten. Maar jij liet niemand ons aan elkaar voorstellen. De Addisons mochten ons niet koppelen; je geloofde Karen niet dat we elkaar zouden mogen. Ik dacht dat het nooit zou gebeuren.'

Mijn hart zwol van liefde en ik moest om mezelf lachen. 'Karen had gelijk, mijn regels waren idioot.'

'Ben je niet boos?'

'Ben je gek? Ik ben onder de indruk. Ik heb nu nog maar één regel voor afspraakjes.'

Ze keek me vreemd aan: 'Welke dan?'

'Nooit meer,' zei ik en kuste haar.

Zeven maanden later waren we getrouwd.

Susan en ik zijn ervan overtuigd dat we voor elkaar zijn geboren. Toen ik vijftien was en bad om mijn toekomstige vrouw, was zij veertien en deed hetzelfde om een toekomstige man.

Toen we al een paar maanden getrouwd waren, vertelde Susan: 'Wil je iets echt vreemds horen?'

'Graag. Ik ben gek op vreemde dingen.'

'Nou, zo'n tien maanden geleden, voordat ik jou ontmoette, at ik samen met een vriendin in een Chinees restaurant en...' Ze pakte een stukje papier uit haar portemonnee: 'U zult binnen een jaar getrouwd zijn...'

Don Buehner

Wilskracht

Een predikant had net een lezing over het huwelijk gegeven in het plaatselijke buurthuis, toen hij door drie echtparen werd aangesproken. Ze waren onder de indruk van zijn woorden en vroegen of zij tot zijn kerk konden toetreden.

'Zijn jullie getrouwd?' vroeg de predikant. Ze verzekerden hem dat dat het geval was en weer vroegen ze hem of zij lid van zijn kerk konden worden. 'Ik ben wel onder de indruk van jullie oprechte wens,' antwoordde de predikant. 'Ik wil echter weten of jullie de geestelijke discipline even serieus nemen. Om dat te bewijzen vraag ik jullie om een test te doen.'

'We doen alles,' verzekerden ze alledrie.

'Goed dan, dit is de test: Jullie mogen drie weken lang geen seksueel contact hebben met elkaar.' De echtparen stemden erin toe en beloofden bij hun vertrek dat zij aan het eind van die periode terug zouden komen.

Drie weken later ontmoetten zij de predikant in zijn studeerkamer. 'Ik ben blij jullie weer te zien,' begon hij en hij richtte zich op het eerste stel. 'En hoe is het gegaan?'

'We zijn bijna dertig jaar getrouwd,' antwoordde de man, 'dus het was niet zo moeilijk.'

'Prima. Welkom in mijn kerkgemeente.'

Toen keek de predikant naar het tweede paar en vroeg hoe het hun was vergaan.

'Ik moet toegeven dat het niet makkelijk was,' legde de vrouw uit. 'We zijn pas vijf jaar getrouwd en het was daarom soms best moeilijk, maar we hebben er niet aan toegegeven.'

'Uitstekend, welkom in mijn kerkgemeente,' reageerde de predikant. Hij keek het derde stel aan, dat pas getrouwd was. ‘En jullie? Hoe ging de test bij jullie?’

‘Ach dominee, ik kan niet liegen. Het ging goed, tot vanmorgen na het ontbijt. Toen boog mijn vrouw zich voorover om een doos cornflakes op te rapen die ze had laten vallen. We bogen tegelijkertijd naar beneden en toen raakten onze handen elkaar. De passie overviel ons en we hebben er ter plekke aan toegegeven.’

‘Ik waardeer jullie oprechtheid, maar jullie hebben de test niet doorstaan en ik kan jullie niet toelaten tot mijn kerkgemeente.’

De man antwoordde hierop: ‘Dat is goed hoor. De supermarkt laat ons ook al niet meer toe.’

Barbara De Angelis

Naaktlopen uit liefde

Op een warme avond in april ging ik, van mijn kamer op de Iraklion Luchtmachtbasis op Kreta, met een vriendin naar een feestje dat op de basis werd gehouden. Omdat ik toen zonder vriendje was gaf ik mijn ogen goed de kost op zoek naar mogelijke kandidaten en zag ik Frank.

Ik had hem al eens eerder op de basis gezien en vond hem leuk: lang en slank. Krullend zwart haar en een snor. Hij leek een beetje op Jim Croce. Ik ging naast hem zitten en knoopte een gesprek aan.

Ik ontdekte dat hij een lieve glimlach en een sexy New Yorks accent had. (Ongelooflijk exotisch voor een meisje dat opgroeide in de maïsvelden van Indiana.) Het waren niet alleen zijn uiterlijk en zijn accent die me charmeerden. Hij was gewoon een heel aardige vent, leuk om mee te praten en bovenal: hij maakte me aan het lachen.

Ik was zo verdiept in Frank en zijn levendige conversatie dat ik eerst de commotie om ons heen niet merkte. Ik keek te laat op en zag nog net een stukje bloot verdwijnen om de hoek van een van de gebouwen waar het personeel van de basis sliep. Iedereen moest vreselijk lachen en wees die kant op. Toen pas besefte ik wat ik had gemist.

'Mijn eerste streakers,' zei ik teleurgesteld, 'en het is jouw schuld dat ik ze heb gemist.'

Frank keek heel berouwvol. 'Het spijt me. Ik zal vragen of ze het voor jou nog een keer doen.'

Ik dacht niet dat hij het meende, maar voordat ik iets had kunnen zeggen, stond hij al op en verdween om de hoek van het gebouw.

Een paar minuten later hoorde ik de mensen weer gieren van de lach. Ik draaide mijn hoofd om en daar waren ze, de twee naaktlopers, zo bloot als baby's. Ze renden weer als gekken over het pad tussen de twee gebouwen door. Toen zette ik grote ogen op, want er was een derde naaktloper bij gekomen. Hij was lang en slank, met zwart krullend haar en een snor. Hij leek een beetje op Jim Croce.

Gek genoeg had Frank het hele gebeuren gemist, dat zei hij in ieder geval. Hij was na een paar minuten weer naast me komen zitten, een beetje buiten adem weliswaar, en deed alsof er niets was gebeurd.

'Dank je, maar om indruk te maken had je niet zoveel moeite hoeven doen,' zei ik droogjes.

Hij haalde zijn schouders met een verlegen glimlach op. 'Ik kon je toch niet je eerste streakers laten missen.'

Zo is onze relatie begonnen. Dat is nu drieëntwintig jaar geleden en we hebben twee heerlijke, volwassen kinderen. Frank streakt niet meer. Hij vindt dat het niet meer bij zijn leefstijl als computerprogrammeur past.

Natuurlijk loopt hij nog wel naakt rond, maar niet meer in het openbaar.

Iedereen die het verhaal van onze eerste ontmoeting kent weet dat ik, die avond toen hij spiernaakt langs me heen rende, iets van Frank zag. En dat is waar...

Ik zag zijn persoonlijkheid.

Carole Bellacera

Limonade met een liefdesverhaal

Liefde is de weg die ik in dankbaarheid bewandel.

Wonderlijke Wegen

Ik reed op een verlaten weg in Indiana en zag het uithangbord met 'Verse limonade' erop. Ik sloeg af en verwachtte een soort pompstation of kleine winkel, maar tot mijn verrassing kwam de weg uit bij een gewoon huis. Op de veranda zat een oude man. Er was verder niemand. Ik stapte uit. De man bood me een stoel aan en schonk de limonade in. Het was zo vredig; je zag niets anders dan maïsvelden, de blauwe lucht en de zon.

We spraken over het weer en mijn reis. Hij vroeg of ik een gezin had. Ik vertelde dat ik net getrouwd was en dat ik hoopte dat we kinderen zouden krijgen. Hij leek ermee ingenomen te zijn dat er iemand was die een gezin wilde stichten. Toen vertelde hij mij zijn verhaal, dat ik op mijn beurt u weer vertel, omdat het zo'n indruk heeft gemaakt.

'Het is heel bijzonder een eigen gezin te hebben; een vrouw, kinderen en je eigen huis. Je hebt zo'n tevreden gevoel, omdat het goed is. Ik herinner me nog goed dat ik zo oud was als jij,' zei de man.

'Ik dacht niet dat ik ooit zou trouwen. Het gezin waarin ik opgroeide was niet zo geweldig, maar ik deed m'n best. Mijn ouders hielden wel veel van mij en ik begrijp nu dat hun bedoelingen goed waren, maar het was moeilijk. Ik lag vaak 's nachts in bed te denken: Ik neem niet het risico dat ik straks ook moet scheiden. Een vrouw? Een gezin? Waarom? Ik wilde het risico niet nemen dat ik kinderen aan een scheiding zou blootstellen.

Als tiener leerde ik nieuwe emoties, maar ik geloofde nog steeds niet in liefde. Dat was alleen maar dwaas, vond ik. Ik had een vriendinnetje, die op haar twaalfde al verliefd op mij was geworden. We waren allebei bang om onze gevoelens te tonen, dus praatten we alleen maar. Ze werd mijn beste vriend. De hele middelbareschooltijd waren we onafscheidelijk.'

De man vertelde verder: 'Ook zij had problemen thuis en ik probeerde haar zo goed mogelijk te helpen. Ze was zo slim en ook mooi. De andere jongens wilden haar graag hebben. En omdat dit toch onder elkaar is kan ik het wel zeggen: "Ik wilde haar ook wel."

We zijn één keer met elkaar uitgeweest, maar dat liep verkeerd af en toen spraken we negen maanden niet met elkaar. Op een dag durfde ik haar een briefje te schrijven. Ze schreef terug en alles werd langzaamaan weer hetzelfde. Daarna ging ze naar de universiteit.'

De oude man schonk nog wat meer limonade in.

Hij vervolgde zijn verhaal: 'Ze ging naar een universiteit in Minnesota, waar haar vader woonde. Ik wilde honkbal spelen, maar werd steeds afgewezen. Uiteindelijk werd ik aangenomen op een kleine universiteit, ook in Minnesota! Het was zo ironisch. Toen ik het haar vertelde moest ze huilen.

We gingen uit en ik herinner me dat ik haar voor het eerst kuste in mijn kamer. Mijn hart bonsde heel hard, omdat ik bang was afgewezen te worden. Maar onze relatie groeide. Na de universiteit werd ik een professionele honkbalspeler. Ik trouwde met mijn lieve meisje, hoewel ik nooit had gedacht dat ik ooit naar het altaar zou lopen.'

'Hebt u kinderen?' vroeg ik.

'Vier stuks!' Hij glimlachte. 'We hebben ze laten leren en ze, voorzover wij dat konden, bijgebracht om goed te leven. Ze zijn nu allemaal volwassen met hun eigen kinderen. Ik was zo trots toen ik ze met baby's in hun armen zag. Toen wist ik dat het leven waard was om geleefd te worden.

Toen de kinderen uit huis gingen, zouden mijn vrouw en ik samen op reis gaan, hand in hand, net zoals vroeger. Het was zo mooi. De jaren verstreken en mijn liefde voor haar bleef maar groeien. We hadden wel eens ruzie, maar de liefde won altijd.

Ik weet niet hoe ik de liefde die ik voor mijn vrouw voelde moet uitleggen.' Hij schudde zijn hoofd. 'Het is bij ons nooit weggegaan, het doofde niet. Het werd steeds sterker. Ik heb veel fouten gemaakt in mijn leven, maar ik heb er geen moment spijt van gehad dat ik met haar ben getrouwd.

God weet hoe zwaar het leven kan zijn,' zei hij en keek mij doordringend aan. 'Ik ben te oud om te begrijpen hoe het vandaag de dag is, maar als ik terugkijk ben ik zeker van één ding: niets in deze wereld is zo sterk als liefde. Geld niet, hebzucht, haat en passie ook niet. Woorden kunnen het niet beschrijven. Dichters en schrijvers proberen het wel, maar ze kunnen het niet omdat het voor iedereen anders is. Ik hou zoveel van mijn vrouw dat zelfs als ik naast haar lig in ons graf mijn liefde nog steeds vurig brandt.'

Hij keek naar mijn lege glas en zei verontschuldigend: 'Ik heb u misschien wat langer opgehouden dan u van plan was. Ik hoop dat u de limonade lekker vond. Als u gaat, denk er dan aan: heb iedere dag van het leven uw vrouw en kinderen lief met alles wat u heeft, want je weet nooit wanneer het voorbij is.'

Ik liep terug naar mijn auto en was nog steeds onder de indruk van zijn krachtige woorden. Het was zo bijzonder dat deze man zijn vrouw, die waarschijnlijk jaren geleden was overleden, nog steeds zo innig liefhad. Ik voelde me triest als ik dacht hoe eenzaam hij moest zijn met zijn limonade en een klant zo nu en dan.

Mijn gedachten waren nog steeds bij de man toen ik de weg opreed. Ineens bedacht ik me dat ik hem niet had betaald en ik draaide de auto om, het pad weer op. Toen ik het huis naderde zag ik tot mijn verrassing dat er een auto op het garagepad stond. Er was nog iemand gekomen.

Ik liep naar de veranda, maar zag de man nergens. Ik legde het geld op de stoel en keek toevallig door een raam naar binnen. Ik zag de oude man in het midden van de huiskamer langzaam dansen met zijn vrouw!

Hij had haar dus niet lang geleden al verloren, begreep ik, en ik schudde mijn hoofd over mijn eigen veronderstelling.

Ze was gewoon een middagje weggeweest.

Dit is jaren geleden gebeurd, maar nog iedere dag denk ik aan deze man en zijn vrouw. Ik hoop dat ik net zo leef als zij en zoals zij liefde doorgeef aan de kinderen en kleinkinderen. Ik hoop ook dat ik als grootvader nog zal dansen met mijn vrouw, wetende dat niets mooier is dan liefde.

Justin R. Haskin

Tweede kans

De weg van ware liefde gaat nooit over rozen.

Een Midzomernachtdroom

Jaar na jaar verstreek de tijd. Eerst een paar jaar, daarna vele jaren. Er waren huwelijken tussen hen in gekomen en kinderen. Hoewel hun levenspad gescheiden was, liep het toch parallel door de herinnering aan hun liefde. Ingrid Kremeyer daalde van tijd tot tijd de trap af naar de kelder en pakte dan een oude doos die tussen de potten jam en kratten appels stond.

Daar was het bewijs van hun liefde, verborgen in deze doos, beschreven in vele brieven uit een periode van drie naoorlogse jaren. De doos reisde al een halve eeuw mee met Ingrid waar ze ook naartoe verhuisde, van Duitsland naar de Verenigde Staten. De geschreven woorden getuigden van een liefde die zo sterk en diep was dat de tijd er geen vat op had.

Ook al had de soldaat haar een afscheidsbrief geschreven, zij twijfelde geen moment aan zijn liefde. Ook zevenenveertig jaar later niet. Ze wist toen al, en nu nog steeds, dat ze voor elkaar waren geboren, al was het alleen maar in hun hart en als droeve herinnering.

Ze ontmoetten elkaar tijdens de Berlijnse luchtbrug in 1949. Ingrid werkte samen met Amerikaanse soldaten op een kantoor van de luchtmacht in Noord-Duitsland. Ze sprak Engels en ze konden haar administratieve vaardigheden goed gebruiken. Ze begreep de soldaten die haar steeds mee uit vroegen goed.

Het merendeel van de soldaten was negentien, van haar leeftijd. Niet oud genoeg om serieus genomen te worden, vond zij. Er was echter één Amerikaanse militair met een charmante zuidelijke uitspraak die haar opviel en dat was Lee Dickerson; zesentwintig, slank en aantrekkelijk. Ze wachtte. Er gingen maanden voorbij en hij vroeg haar niet uit. Ze probeerde niet te hoopvol te zijn, misschien had hij een vriendin.

De vierde juli zou op Amerikaanse wijze worden gevierd en de soldaten verdrongen zich om Ingrid voor een afspraakje. Minstens zeven hadden het gevraagd en alle zeven waren ze afgewezen. Ingrid hoopte nog steeds dat Lee haar zou vragen, maar ze had hem de hele dag niet gezien.

Een paar minuten voor ze stopte met werken kwam hij binnen. Ingrids hart bonsde in haar keel. Hij vroeg haar uit en ze vertelde dat ze graag meeging, maar dat ze de soldaten die ze had afgewezen nu niet meer onder ogen durfde te komen.

'Dat regel ik wel,' zei Lee en hij deed de deur open en vroeg de anderen: 'Zullen we Ingrid naar het feest begeleiden, vanavond?' Zo ging Ingrid dus naar het feest. Aan de hand van Lee en onder begeleiding van een kleine brigade. Het was een hemelse avond met vuurwerk en flonkerende sterretjes in haar ogen en in die van Lee. Toen hij haar thuisbracht kuste hij haar goedenacht. 'Toen wist ik dat hij de ware was. Vanaf het begin wist ik steeds al wat hij zou gaan zeggen, voordat hij het zei,' vertelde Ingrid.

Vanaf die avond waren ze onafscheidelijk. Ze hadden echter maar vier maanden samen voordat Lee weer terug moest naar de Verenigde Staten.

Ze brachten elk vrij moment met elkaar door, wandelend door de parken of bossen. Ze bezochten de club van de luchtmacht of namen haar ouders mee uit eten. Er was toen niet veel te doen in Celle en dus zaten ze veel in kleine cafetaria's en spraken veel.

Het werd serieus en Lee wilde trouwen. Hij wilde dat zij naar de VS zou komen. Ingrid was opgetogen en haar ouders ook. Ze wisten niet wat er boven hun hoofd hing. Toen Lee naar de luchtmachtbasis in Hamilton ten noorden van

San Francisco vertrok voelden ze zich verlamd van eenzaamheid, maar ook blij omdat Lee zo snel mogelijk zijn toekomstige bruid zou laten overkomen.

Toen hij Duitsland verliet wist de piloot niet dat het verboden was voor militairen om immigranten naar de Verenigde Staten te halen. Lee was verbijsterd. Hij besloot naar Duitsland terug te keren voor Ingrid en vroeg om overplaatsing. Een aantal malen werd hij gepasseerd. Toen kwam de dag dat hij terug kon en hij dacht dat alles nu goed was.

In plaats van een reis naar Duitsland moest hij naar het ziekenhuis met een blindedarmontsteking. Zijn eenheid vertrok zonder hem. Er kwam een nieuwe benoeming en die voerde hem voor drie jaar naar Azië, misschien zelfs naar de Koreaans oorlog.

Hij nam toen de moeilijkste beslissing van zijn leven en het voelde alsof hij zijn hand afhakte. Lee schreef zijn lief: 'Het heeft niet zo mogen zijn. Ik hoop dat je gelukkig wordt.'

Zo verloren ze elkaar uit het oog.

Jaren later vertrok Ingrid naar New York om bij een tante te gaan wonen. Die probeerde haar al snel aan een rijke oude man te koppelen. Toen Ingrid zijn huwelijksaanzoek afsloeg werd haar tante zo boos dat er voor Ingrid niets anders opzat dan per vliegtuig naar Chicago te vluchten. Daar woonde de enige persoon die zij kende in Amerika. Het was een oude studiegenoot. Ze waren goede vrienden en hij trouwde haar, ook al wist hij dat haar hart naar een ander uitging.

Ted en Ingrid kregen twee zonen, Karl en Kevin. Ze hadden een goed huwelijk, maar Ingrid liep toch steeds de keldertrap af om de brieven van Lee te lezen. Ze huilde over wat had kunnen zijn. Ze huilde nog meer toen Ted, op eenenveertigjarige leeftijd, op kerstavond plotseling overleed. Hij was een fijne man en een goede echtgenoot geweest en had haar liefde voor Lee begrepen. Ze wilde niet meer denken aan een andere serieuze relatie en wijdde zich geheel aan de opvoeding van haar twee zonen.

Liefde gleed twee decennia langs Ingrid heen, hoewel ze genoeg tijd had om erover na te denken.

Lee was nu een gepensioneerde luchtvaartspecialist, hij was twee keer getrouwd en had twee kinderen. De laatste jaren waren zwaar geweest. Hij had zijn vrouw zien wegteren aan alvleesklierkanker. Voor hem was er niet veel meer om voor te leven. Hij sleepte zich van dag naar dag, totdat de brief kwam.

Hij scheurde hem open. Hij was van Ingrid. 'Je had me kunnen omblazen. Na al die jaren was ze in de Verenigde Staten. Mijn toekomst was hier, gewoon hier.'

Hij ging zitten en schreef terug, zodat hij het antwoord diezelfde dag nog kon posten.

Misschien kon hij weer verliefd worden. Hij was Ingrid nooit vergeten.

De laatste keer dat Ingrid de doos tevoorschijn had gehaald, had ze een uur lang gehuild. Ze was gepensioneerd en gaf alleen nog maar parttime Duits op de universiteit. Boven de doos vol brieven dacht ze: 'Waarom zou ik hem niet proberen te vinden?' Haar zoons waren volwassen en het huis uit. Wie weet wat er met hem is gebeurd? Die week daarop werd ze volledig in beslag genomen door de gedachte dat ze Lee moest vinden. Ze herinnerde zich dat een van haar studenten een oud marineman was en zij vroeg hem het telefoonnummer van het Militair Pensioen Centrum.

Ze zat ademloos aan de telefoon en wachtte dertig minuten terwijl haar hart bonsde. Ja, er waren drie Lee Dickersons die gepensioneerd waren, een van elke militaire richting. Het was duidelijk dat hij diegene was die bij de luchtmacht had gediend. Het centrum zou haar brief doorsturen als ze $ 3,50 erbij insloot. Ingrid schreef in de brief dat ze een onbedwingbaar verlangen had hem te vinden en ze eindigde met: 'Ik hoop dat het niet dwaas was toe te geven aan dit verlangen.'

Toen zijn antwoord in haar brievenbus lag wist Ingrid meteen dat hij van Lee was. Na zevenenveertig jaar herkende ze zijn handschrift nog steeds. Ze scheurde de brief open en kon hem van opwinding bijna niet lezen. Hij schreef dat hij gepensioneerd was, weduwnaar en dat hij ontroerd was dat zij hem had gevonden. Hij was haar niet vergeten maar het leek hem beter te schrijven dan zomaar even een oude vlam te bellen.

Ingrid was nog steeds het pittige negentienjarige meisje dat hij zo lang geleden had ontmoet in Duitsland. Ze was dat nooit kwijtgeraakt. De pot op met je schrijven, dacht ze, en ze rende naar de telefoon om Lee op te bellen. Ze werd teleurgesteld, want ze kreeg een antwoordapparaat. Die avond belde hij haar terug en ze spraken urenlang met elkaar. Ze besloten dat ze elkaar in Tucson zouden ontmoeten, omdat Ingrid daar naartoe ging om haar zoon te zien en Lee's zoon woonde ook in Arizona.

In het vliegtuig raakte Ingrid in paniek. Wat had ze gedaan? Was ze gek geworden? Ze kon het beter maar vergeten. Kon ze er nog uit? Voor de landing waren haar emoties echter weer wat gekalmeerd.

Ze zag Lee en vond hem nog net zo lang en slank als toen hij zesentwintig was. Ze omhelsden elkaar en probeerden in één week alles in te halen. 'Het was alsof de zevenenveertig jaar verdwenen waren. We knuffelden en zoenden en hielden elkaar gewoon vast,' vertelde Ingrid later.

Toen ze ieder weer naar hun eigen huis gingen, hadden ze afgesproken elkaar na een paar maanden opnieuw te zien. Ingrid vond deze scheiding vreselijk. 'Het was zo moeilijk om afscheid te nemen, afschuwelijk!' vond ze.

Lee vloog naar Chicago om haar te bezoeken, maar was wel bezorgd over wat de buren zouden denken.

Ingrid reageerde met: 'Wat kan ons dat schelen. Ik heb lak aan de buren.'

Ditmaal wisten ze zeker dat ze gingen trouwen. Er stond hun niets in de weg.

Ze trouwden op 2 januari 1997 aan boord van de oude oceaanstomer, the Queen Mary, in Long Beach. Zij droeg een witte japon tot aan haar knieën en hij droeg zijn U.S. luchtmachtuniform met majoorsinsignes. Zij was zevenenzestig en hij vierenzeventig. Er waren zo'n zeventig familieleden en de internationale pers was zeer geïnteresseerd in deze liefde die een tweede kans kreeg.

Nadat alle camera's verdwenen waren en de familie naar huis was, begon voor Lee en Ingrid het rustige leven samen. Het leven waar ze lang geleden van hadden gedroomd.

Hun laatste hoofdstuk eindigt zo mooi. Ingrid schreef:

‘Mijn hart loopt over van geluk, omdat ik weet dat mijn eerste liefde ook mijn laatste zal zijn.’

Diana Chapman

3

Over de verbintenis

Geef elkaar de hand en daarmee je hart.

William Shakespeare

Vijftig manieren om je partner lief te hebben

1. Hou in de eerste plaats van jezelf.
2. Begin iedere dag met een knuffel.
3. Breng ontbijt op bed.
4. Zeg elke keer als je weggaat: 'Ik hou van je.'
5. Maak veel en vaak complimenten.
6. Waardeer en respecteer de verschillen tussen jullie.
7. Leef iedere dag alsof het je laatste is.
8. Schrijf onverwachte liefdesbrieven.
9. Zaai samen een zaadje en zorg ervoor tot het volgroeid is.
10. Ga één keer per week samen uit.
11. Stuur eens een bloemetje.
12. Accepteer en respecteer elkaars familie en vrienden.
13. Schrijf briefjes met 'Ik hou van jou' en leg die overal in huis.
14. Sta stil en ruik de geur van de rozen.
15. Geef onverwacht een zoen.
16. Ga samen op zoek naar mooie zonsondergangen.
17. Maak welgemeend je excuses.
18. Wees vergevingsgezind.
19. Herinner de dag dat je verliefd werd en gedenk die dag.
20. Houd elkaars hand vast.
21. Zeg 'Ik hou van jou' met je ogen.
22. Laat haar in jouw armen huilen.
23. Zeg hem dat je het begrijpt.
24. Hef het glas op de liefde en de verbintenis.
25. Doe iets geks.
26. Laat haar je de weg wijzen als je verdwaald bent.
27. Lach om zijn grappen.
28. Waardeer haar innerlijke schoonheid.

29. Doe een dag lang de klusjes van de ander.
30. Moedig prachtige dromen aan.
31. Laat anderen zien dat je elkaar liefhebt.
32. Geef zomaar een massage.
33. Begin een liefdesdagboek en schrijf de speciale momenten op.
34. Heb begrip voor de angst van de ander en probeer hem weg te nemen.
35. Loop samen blootsvoets op het strand.
36. Vraag haar nog een keer ten huwelijk.
37. Zeg 'Ja'.
38. Respecteer elkaar.
39. Wees je partners grootste fan.
40. Geef liefde zoals je partner die wil.
41. Geef liefde zoals jij die wilt.
42. Heb belangstelling voor elkaars werk.
43. Werk samen aan een project.
44. Bouw een tent van lakens.
45. Schommel bij maanlicht zo hoog als je kunt.
46. Ga binnen picknicken als het regent.
47. Ga nooit boos naar bed.
48. Gedenk je partner als eerste in je gebed.
49. Kus elkaar welterusten.
50. Slaap als lepeltjes.

Mark en Chrissy Donnelly

Het leven redden van mijn man

Waar liefde regeert kan het onmogelijke gebeuren.

Indiaas gezegde

Het was een heldere vrijdagochtend, 30 augustus 1991. Mijn echtgenoot Dean en ik hielden onze lang geplande campingvakantie in Montana's Glacier National Park. Het was onze eerste reis sinds zijn pensionering dat jaar. We waren die vorige week van huis, in Holland Michigan, gegaan. We hadden de verschillende delen van het park al bekeken. Vandaag zouden we onze achtste dagtocht maken. 'Heb je de camera? En de crackers voor de lunch?' vroeg ik Dean toen we uit onze kleine kampeerwagen stapten.

Dean grijnsde wat en knikte. 'Ja, schat. We zijn er klaar voor,' zei hij plagend en hij klopte op zijn rugzakje. We begonnen langzaam en genoten van de koele frisse lucht. We liepen op een smal pad langs de beboste helling. Soms zwaaiden we naar andere kampeerders of keken met mijn verrekijker naar een besneeuwde bergtop. Om half één hadden we al zo'n vijf kilometer gelopen en we besloten te gaan lunchen.

Na deze simpele maaltijd wilden we weer naar beneden gaan. Er kwam echter een echtpaar van een ander pad naar beneden gelopen en de vrouw zei: 'Je moet nu niet stoppen. Ga in ieder geval naar het Iceberg Lake. Het is maar een paar kilometer verderop.' Na dit advies besloten we dat stukje nog te lopen.

Het was drie uur toen we bij het meer aankwamen. Het lag er vredig en kristalhelder bij, omgeven door duizelingwekkend veel kleurige, wilde bloemen. Zoals al blijkt uit de naam dreven er ijsbergen op het kalme oppervlakte.

'O Dean, is het niet prachtig!' riep ik uit. We stonden hand in hand en gingen helemaal op in dit vredige tafereel.

Na vierenveertig jaar huwelijk was Dean nog steeds mijn beste vriend. We groeiden samen op in een klein plaatsje in South Dakota. Dean was zestien en ik acht maanden jonger toen we elkaar op zondagsschool ontmoetten. We kregen verkering en binnen drie jaar waren we getrouwd.

Vijf kinderen en vijftien kleinkinderen later keken we uit naar onze 'gouden jaren' samen. We waren nog jong genoeg om plezier te hebben in het doen van dingen. Ik voelde me op m'n tweeënzestigste niet ouder dan vijfendertig. Natuurlijk hadden we wel wat gezondheidsproblemen, Dean was diabeticus en ik slikte elke dag harttabletten, maar we waren nog fit omdat we iedere dag actief waren.

We liepen het pad af, weg van het Iceberg Lake. Na een paar honderd meter kwamen we bij een bocht. Toen we de bocht om liepen hoorde ik Dean naar adem happen en hij kneep in mijn arm. Ik zag meteen wat hij bedoelde: vlak voor ons stond een moeder-grizzlybeer die ons aankeek, twee kleintjes speelden om haar heen.

Ze waren minder dan tien meter bij ons vandaan. De oren van de moederbeer stonden recht vooruit, haar ogen strak op ons gericht. Zonder zich te bewegen gromde ze en gaf daarmee haar kleintjes het sein weg te gaan.

'O God,' fluisterde Dean. 'Dit gaat mis, Lorraine.'

We hadden twee avonden daarvoor voorlichting over wilde beren gehad van een parkwachter. 'Laten we in een foetushouding op de grond gaan liggen, zoals ze ons vertelden,' fluisterde ik. 'We moeten doen of we dood zijn.' Ik duwde mijn hoofd tussen mijn benen, met mijn handen achter mijn hoofd in m'n nek. Ik voelde dat Dean, naast mij, hetzelfde deed.

Maar het was al te laat. Vanuit mijn ooghoeken zag ik wat de beer deed. Ik kon haar grote klauwen zien en hoorde haar diep grommen. Ik zag een rimpeling onder haar bruine vacht van spieren die zich spanden en met drie krachtige sprongen was ze bij ons. Haar kaken maakten vreselijke kauwbewegingen. Naast me haalde Dean diep adem en toen hoorde ik zijn vreselijke schreeuw. De grizzly was boven op hem gesprongen en zette haar tanden in zijn rug en buik. Ze greep hem met haar klauwen en schudde hem wild heen en weer en gooide hem toen als een lappenpop de lucht in. Hij raakte de grond nauwelijks toen ze hem weer pakte, grommend en bijtend. Ik kon het ploppende geluid horen wanneer haar tanden zijn huid doorboorden, terwijl hij het uitgilde van de pijn.

Ik zat nog steeds op mijn knieën, verbijsterd over wat er gebeurde. Ik zag het enorme dier hem opnieuw omhooggooien en daarna met haar rechterpoot wegslepen naar het bos.

'O God nee, niet zo!' huilde hij. 'Alstublieft niet zo.'

Deze wanhopige bede schudde mij wakker. Ik deed een schietgebedje, stond op en ging naar hem toe. Ik had niets om mee te vechten, zelfs geen stok. Ik had alleen mijn verrekijker en ik herinnerde me de woorden van mijn vader, lang geleden, toen ik hielp op onze boerderij. Daar hadden we vaak last van wolven en coyotes. Mijn vader had gezegd: 'Als je ooit in het nauw gedreven wordt door een wild dier, probeer dan z'n neus te raken. Dat is de gevoeligste plaats.' Ik besloot mijn verrekijker als een wapen te gebruiken en me hiermee in de strijd te werpen.

Ik draaide de plastic band goed vast om mijn rechterhand en zwaaide de verrekijker hoog in de lucht, gericht op de beer. Mijn eerste klap belandde op haar brede zwarte neus. Ik voelde dat de verrekijker haar neus raakte en ik trok hem langs haar snuit naar beneden. Ze deinsde terug, maar liet Dean niet los. God, help me, bad ik en zwaaide de verrekijker weer omhoog. Ik hoorde mijn man kreunen aan mijn voeten, maar ik durfde niet naar beneden te kijken. Ik concentreerde me op de neus van de beer en gebruikte al mijn vaardigheden om te richten, geleerd met golfen en hoefijzers gooien. Iedere klap telde.

Na de vierde klap liet de beer Deans hand los en richtte zich in volle lengte, twee meter tien, woedend op. Ik keek naar het beest, langs het bebloede lichaam van mijn man, mijn ogen op haar borsthoogte. Haar geelzwarte klauwen, lang en krom hingen in de lucht op slechts een tiental centimeters van mij vandaan. Ik weerstond de impuls om oogcontact te maken, dat zou haar waarschijnlijk nog bozer maken. Ik haalde diep adem en zwaaide weer met de verrekijker.

Deze keer leek het alsof ze de slag zag komen. Met een grom viel ze plotseling op haar vier poten en trok zich terug in de bosjes. Ik aarzelde even, omdat ik zeker wist dat ze terug zou komen om mij aan te vallen. Pas toen ik het geluid van krakende takken hoorde wegtrekken, geloofde ik dat ze niet meer terug zou komen.

Pas hierna durfde ik naar Dean te kijken. Hij lag op zijn rug, zijn gezicht van me afgedraaid, zijn rechterarm had hij nog steeds over zijn hoofd. Hij jammerde en ik hoorde zijn reutelende adem. Ik zag voor het eerst wat voor verwondingen hij had en ik werd koud van angst.

Zijn kleren waren gescheurd en zijn borst lag open, in de gapende wond zag ik zijn spieren. Zijn rechterschouder was bijna helemaal weggebeten en bloedde vreselijk. Uit zijn rechterpols bungelden de aderen en zenuwen. Zijn rechterbeen, rug en buik waren ook vreselijk verwond. Ik boog me over hem heen en probeerde zijn aandacht te krijgen.

'Deanie! Deanie, ik ben het!' Hij reageerde pas na de derde keer en draaide zijn hoofd mijn richting op. Zijn ogen waren verkrampt van pijn en hij was zich nauwelijks bewust van wie ik was. 'Het is goed nu. De beer is weg,' zei ik.

Langzaam keek hij mij aan. 'Niet waar,' huilde hij en de tranen stroomden over zijn wangen. Ik verzekerde hem dat het wel waar was.

'Ik moet het bloeden stoppen,' ging ik verder. 'Blijf stil liggen. Wees maar niet bang.'

Ik kende gelukkig de basis van de eerste hulp. Dean was meer dan achtentwintig jaar bij de vrijwillige brandweer geweest en we hadden vaak samen geoefend. Ik probeerde niet in paniek te raken en helder te denken. Uit zijn rechterschouder en pols golfde het bloed wat betekende dat een slagader was geraakt. Ik moest die op een of andere manier afbinden.

'Mijn bh!' bedacht ik opeens. Ik trok mijn truitje over

mijn hoofd en deed mijn bh uit en trok het elastiek ervan goed strak om Deans bovenarm. Als het bloed niet binnen een paar minuten stolde zou ik het met een stokje nog strakker trekken. Het is beter een arm te verliezen dan dood te bloeden.

Toen moest ik wat aan de verwondingen aan zijn borst doen. Ik had wat tissues in mijn tas en ik stopte ze in de gapende wond. Dat was lang niet genoeg om het bloeden te stoppen. Ik had meer verband nodig. Ik wilde net mijn truitje pakken toen Dean zwakjes zei: 'Gebruik mijn shirt. Help me met het uitdoen.'

Ik tilde hem op en trok zijn shirt over zijn hoofd en scheurde de stof in repen. Na het verbinden van zijn borst en been controleerde ik zijn rechterarm. Het bloed begon te stollen.

'Godzijdank.' Ik was opgelucht en liet het elastiek wat vieren.

Nu het onmiddellijke gevaar was geweken voelde ik dat ik zou instorten. Wat als de beer weer terugkwam? Dean kon niet lopen en we waren kilometers van de camping vandaan. Ik besloot dat ik maar het beste kon gaan gillen. Andere wandelaars zouden het vast wel horen. 'Help! Help!' schreeuwde ik dus.

Het leek een eeuwigheid te duren, voordat twee jonge mannen de hoek om kwamen. Ze renden naar ons toe.

'Mijn man is door een beer aangevallen. Kunt u hulp halen?'

'Ik ga wel,' zei een van hen.

Dean sprak zachtjes: 'Vertel dat ze de helikopter moeten sturen.' De jonge man knikte en rende weg.

Pas toen hij al weg was kwam nog een ander advies over wandelen in het land van de beren bij me boven. 'Ren nooit! Dat is een uitnodiging voor de aanval!' Ik beet op mijn lip: 'O God, spaar hem.'

In het uur dat volgde kwamen er meer dan elf mensen het pad af. Er waren drie verpleegsters, een dokter en iemand die bij een skireddingsploeg werkte. Een van de verpleegsters gaf Dean iets tegen de pijn, terwijl de ander zijn wonden verzorgde met schoon verband. Het leek zo'n ontzettend toeval dat er zoveel medische professionals op deze verlaten bergweg liepen.

Dean werd met een ambulancehelikopter naar het ziekenhuis gebracht en omdat er geen plaats was voor mij en het medisch personeel samen, volgde ik in een kleinere.

Dean was al op de operatiekamer toen ik aankwam. Om drie uur 's nachts kwam de vermoeide chirurg de operatiekamer uit en hij vroeg me even mee te komen.

'Uw man mag van geluk spreken. De beer miste een paar slagaders en zenuwen op een haartje. Het was op het nippertje,' en hij schudde zijn hoofd. Hij vertelde ook dat er voor Deans verwondingen meer dan tweehonderd hechtingen nodig waren geweest.

Negen dagen later werd Dean ontslagen uit het ziekenhuis en reisden we terug naar huis.

Terug in Michican denk ik nog wel eens met verbazing over wat ons is gebeurd. Als ik me voorstel dat ik Dean had kunnen verliezen, springen de tranen in mijn ogen. Maar met de hulp van God en mijn verrekijker leeft hij nog steeds.

Lorraine Lengkeek
zoals verteld aan Deborah Morris

Bel 112

Marie en Michael hadden al een tijdje een relatie met elkaar en prezen zich gelukkig dat ze iedere dag vaak met elkaar konden spreken, hoewel ze allebei werkten. Michael was politieagent en Marie was telefoniste bij de alarmcentrale 112, maar van hetzelfde politierayon.

Op een dag belde Michael haar op en zei dat hij op patrouille was.

'Zou je iets voor me kunnen doen, Marie?'

'Natuurlijk, zeg het maar.' Marie was blij met iedere smoes om hem te kunnen spreken.

'Kun jij even een nummerplaat voor mij opzoeken? Ik wil weten of er een arrestatiebevel voor deze man is,' legde Michael uit.

'Oké, spel maar.'

Michael spelde het nummerbord door middel van de gebruikelijke namen, zodat Marie de juiste letters doorkreeg:

Willem
Izaäk
Lodewijk
Jan
Eduard
Marie
Eduard
Teunis
Marie
Eduard
Teunis
Rudolf
Otto

Utrecht
Willem
Eduard
Nico

Zoals ze wel honderd keer op een dag deed, schreef ze het ook nu op een stukje papier en voerde het daarna in op de computer om de nummerplaat te zoeken. Ze was wel verbaasd over het aantal letters. Een nummer was nooit zo lang, zelfs een speciaal nummer niet. Haar collega's wisten van Michaels plan af en zij vroegen haar: 'Marie, welk woord vormen die letters eigenlijk?'

Deze keer las Marie alleen de eerste letter van elk woord hardop voor: 'W-i-l-j-e-m-e-t- m-e- t-r-o-u-w-e-n?'

Met een vreugdegil kwam Marie terug aan de telefoon waar een gespannen Michael, die dus geen automobilist achtervolgde, wachtte op haar antwoord.

'Michael, ben je daar?' begon Marie. 'Ja?' antwoordde hij en zijn stem klonk onzeker.

'Mijn antwoord is: Begrepen en akkoord!'

Aan dit aanzoek was geen ontsnappen mogelijk.

Cynthia C. Muchnick
101 manieren om de vraag te stellen

Hoe hou ik van je?

Wie zo liefheeft gelooft in het onmogelijke.

Elizabeth Barrett Browning

Elizabeth Barrett en Robert Browning waren twee getalenteerde schrijvers, voorbestemd om de meest fascinerende correspondentie uit de Engelse literatuur te schrijven. Robert Browning had Elizabeth nooit gezien en ze kenden alleen elkaars gepubliceerde werk. Beiden waren bekend binnen hun literatuurgebied en ze bewonderden en respecteerden het werk van de ander. Als gevolg van deze bewondering schreef Robert, op 10 januari 1845, een brief naar Elizabeth:

> Met heel mijn hart hou ik van uw poëzie, beste Miss Barrett, en dit is niet zo'n alledaagse brief waarin u wordt gecomplimenteerd, geen vlugge vanzelfsprekende herkenning van uw genialiteit met een vriendelijke en gewone afsluiting. Vanaf de dag, vorige week, dat ik voor het eerst uw poëzie las wil ik mijn bewondering verantwoorden en ik moet lachen als ik denk aan mijn gepieker over hoe ik u zou kunnen vertellen over haar effect op mij, want na de eerste sensatie van genot wilde ik deze keer niet vervallen in passieve vreugde zoals ik altijd doe als ik echt geniet. Misschien zou ik zelfs als een welwillende collega moeten proberen fouten te vinden, waardoor het echter niet beter zal worden! Niets van dit alles dus. Ik heb in mij verloren en een deel van mij heeft gevonden (...) en door me tot u persoonlijk te richten verheft mijn gevoel zich voor de eerste keer. Ik

hou, zoals ik al heb gezegd, met heel mijn hart van deze boeken en ik hou ook van u.

Elizabeth was toen negenendertig jaar oud, in slechte gezondheid en ze verliet het huis bijna nooit. Haar dominante vader had al zijn kinderen verboden te trouwen.

Zij correspondeerde daarom in het geheim. Deze briefwisseling werd zo omvangrijk dat het nu uit twee dikke boeken bestaat. Elizabeth schreef over hun vriendschap, vanaf het begin tot de eerste ontmoeting, in haar beroemde *Portugese sonnetten*. Ze beschrijven menselijke emoties zoals gelukkig zijn, spijt, vertrouwen en altijd de liefde.

In mei 1845 stond Elizabeth Robert eindelijk toe haar te bezoeken. Ze ontmoetten elkaar hierna in het geheim één keer per week. In september schreef ze: 'Jij raakt mijn ziel zoals ik dacht dat niemand, zelfs jij niet, zou kunnen (...) Voortaan ben ik voor altijd de jouwe zonder je kwaad te doen.'

Een jaar lang ontmoetten ze elkaar en schreven iedere dag, soms tweemaal per dag. Na zijn eerste toenaderingen te hebben afgeslagen, gaf ze zich gewonnen door zijn brieven en bezoekjes en ze werden minnaars.

Robert smeekte om haar hand en vroeg haar mee te gaan naar Italië. Eerst wilde Elizabeth niet, maar ze stemde na lang denken erin toe. Ze wist dat haar vader bezwaar tegen het huwelijk zou hebben en ze trouwden daarom in het geheim, op 12 september 1846. Een week later vertrokken ze naar Italië. Eerst naar Pisa, daarna naar Florence en tenslotte naar hun huis, Casa Guidi.

Ze zag haar vader nooit meer en hij heeft het haar nooit vergeven. Alle brieven die zij hem stuurde kwamen ongeopend terug.

Als deze relatie er niet was geweest dan zou de wereld niet van woorden zoals de volgende hebben kunnen genieten:

Hoe ik van u hou? Ik zal het u vertellen.
Ik hou van u zo diep, breed en hoog
Als mijn ziel kan reiken, als het zich verre voelt
Van de grenzen van het bestaan en goed fatsoen.

Ik hou van u op het niveau van het alledaagse
Meest stille verlangen, in zon- en kaarslicht.
Ik hou van u met de vrijheid van mensen die voor hun rechten vechten;
Ik hou van u met de zuiverheid van iemand na de lofzang.
Ik hou van u met een passie die ik leerde gebruiken
Met mijn oud zeer, in mijn kinderlijk geloof.
Ik hou van u met een liefde die ik dacht verloren te hebben
Samen met mijn heiligen – Ik hou van u zover als
De lach en de tranen van mijn leven reiken! – en, als God het wil,
Zal ik na de dood nog meer van u houden.

Lilian Kew

Tot de dood ons scheidt

Vele geliefden denken voor eeuwig bij elkaar te zijn, in leven en dood, maar ik geloof niet dat ik iemand ken die loyaler en toegewijder was dan mevrouw Isidor Straus.

In 1912 waren mevrouw Straus en haar man passagiers op de *Titanic* tijdens die fatale reis. Er zijn niet veel vrouwen met het schip ten onder gegaan. Mevrouw Straus was een van de vrouwen die wel verdronken om de doodeenvoudige reden dat zij haar man niet kon verlaten.

Mabel Bird, de kleedster van mevrouw Straus, vertelde het verhaal na haar redding:

'Toen de *Titanic* begon te zinken werden vrouwen en kinderen die in paniek waren het eerst in de reddingsboten gezet. Meneer en mevrouw Straus waren kalm en troostend en zij hielpen velen van hen in de reddingssloepen.

Als zij er niet waren geweest was ik zeker verdronken,' verzekerde Mabel. 'Ik zat in de vierde of vijfde sloep. Mevrouw Straus pakte me warm in en zorgde ervoor dat ik instapte.'

Toen verzocht meneer Straus zijn vrouw om met de anderen en Mabel van boord te gaan. Mevrouw Straus wilde in de sloep stappen, maar ze had één voet op het zijboord toen ze zich ineens bedacht, zich omdraaide en terug op het zinkende schip stapte.

'Alsjeblieft, liefste, ga de boot in,' smeekte meneer Straus haar.

Mevrouw Straus keek diep in de ogen van de man met wie ze het grootste deel van haar leven had gedeeld, haar beste vriend en haar lotgenoot en grootste steun. Ze greep zijn arm en trok zijn trillende lichaam dicht tegen zich aan.

'Nee, ik ga die boot niet in. We zijn al heel lang samen.

We zijn samen oud. Ik verlaat je niet. Waar jij gaat, ga ik ook,' schijnt mevrouw Straus gezegd te hebben

Zo werden ze voor het laatst gezien, arm in arm op het dek, de toegewijde vrouw stond moedig aan de zijde van haar man en de liefhebbende man hield zijn vrouw beschermend vast. Toen zonk het schip. Ze waren voor altijd samen.

Barbara De Angelis

De goede fee

Ze is meestal alleen en dankbaar dat ze nog ten minste met één oog kan zien. Ze leest namelijk veel, vooral boeken van vrouwen over dingen die ze herkent. Ze heeft, als ze de bladzijden omslaat, altijd een pen in de aanslag om de goede stukken te onderstrepen. Vroeger deelde ze deze fragmenten met haar man.

Ze is het uit gewoonte blijven doen. Een zoon of dochter die op bezoek komt kan verwachten dat hij of zij citaten uit boeken en tijdschriften te horen krijgt. 'Luister hier eens naar...'

Soms zijn de citaten te persoonlijk en niet geschikt om met anderen te delen en daarom worden ze bewaard in een aantekenboekje. Een voorbeeld? In *Cabin Fever* van Elizabeth Jolley staat een observatie van een vrouw beschreven: 'Ik voel weer dat diepe verlangen deel uit te maken van een getrouwd stel; in de winter bij de open haard te zitten met een man die de mijne is. Dit verlangen is zo intens dat als ik het woord "echtgenoot" opschrijf, de tranen in mijn ogen springen. Met het woord "echtgenote" is het zelfs erger.' Dit citaat deelt ze met niemand. Waarom zijn deze zinnen pijnlijk voor haar?

We kunnen beginnen met de eerste foto in een versleten album van de bruiloft. Daar zijn ze. Ze draaien zich weg van het altaar en glimlachen onzeker naar de kerk vol vrienden en familie. De bruid droeg toen haar bril niet. Voor haar was alles zo schemerig als bij kaarslicht, de gezichten waren waarschijnlijk vriendelijk.

Ze liepen naar de uitgang van de kerk en stonden in de deuropening om iedereen aan hen voorbij te laten gaan. Collega's en oude schoolvrienden maakten vrolijke opmerkingen met goede bedoelingen verpakt in onhandige grapjes. Sommige familieleden waren echter niet blij met deze gebeurtenis. Eén moeder was al weggegaan en zat te huilen in de auto. De ander werd omringd door sympathisanten die hun medeleven uitten. Beide goede vrouwen zouden je verzekerd hebben dat ze alleen maar het beste voor hadden met hun kinderen en daarvoor als slaven hadden gewerkt. Hun idee over het beste ging uit van de ouderwetse opvatting dat je thuis moest blijven om je familie te steunen en niet zou trouwen.

De laatste persoon die naar het paar toekwam was een korte gedrongen vrouw die glimlachte toen ze hun de hand schudde en hen feliciteerde. Ze gebruikte niet hun naam, maar sprak hen aan met 'vrouw' en 'man'.

'Ik ben tante Esther Gubbins. Ik ben hier om jullie te vertellen dat jullie een goed leven zullen leiden en gelukkig zullen zijn. Jullie zullen hard werken en elkaar liefhebben.' Ze sprak de woorden langzaam en zorgvuldig uit en keek hen om beurten aan. En plotseling was ze verdwenen, te snel voor een persoon van haar formaat en leeftijd. En toen gingen ze weg in een Buick uit 1938. Ze hadden geld geleend van de broer van de bruidegom en voor een paar dagen een huisje gehuurd in een natuurpark. De volgende avond zaten ze voor een groot haardvuur en lieten de hele trouwdag nog eens aan zich voorbijgaan, vanaf het moment dat hij zijn te grote gehuurde overhemd moest laten innemen en in een te nauw, gehuurd, jacquet geperst werd. Ze dachten aan alle goede wensen van hun vrienden, de slecht verborgen weerstand van hun moeders en de vreemde boodschap van de vrouw die zichzelf tante Esther Gubbins noemde. 'Wie is Esther Gubbins eigenlijk?' wilde de vrouw weten. 'Is zij je moeders of je vaders zuster?' 'Is ze dan niet jouw tante?' vroeg de man. 'Ik heb haar nooit eerder gezien.' Wie zou ze geweest zijn? Iemand die naar de verkeerde kerk of op het verkeerde moment was gekomen en hen voor iemand anders had aangezien? Of was zij een oude dame die gek was op huilen tijdens bruiloften en in het kerkblaadje de aankondigingen ervan bijhield?

Met het verstrijken van de tijd en het groter worden van

het aantal kleinkinderen, zoveel dat het nu als buitensporig wordt beschouwd, raakten hun moeders verzoend en vol liefde. De ene maakte stapels speelpakjes voor de kinderen van haar eigen jurken. De ander haakte en breide mutsen, wanten, truien en sjaals. De vaders hadden elkaar altijd al gemogen. Ze spraken over politiek en vertelden hun eigen verhalen over het opgroeien als immigrant in een vijandige stad. De echtgenoot kon worden omschreven als een rustige, zwijgzame man. De vrouw was uitbundiger, je zou kunnen zeggen extravert. Gek genoeg scheen geen van beiden in een tijd van beroepsmatig specialiseren zich af te vragen: 'Wiens werk is dit?' of te benadrukken: 'Dit is niet mijn werk.' Beiden deden dat wat binnen de mogelijkheden en tijd lag: van onderzoek doen voor een college dat een van hen volgde of voor een spreekbeurt die hij moest houden, tot het zoeken naar oordruppels in het medicijnkastje, midden in de nacht, om een huilend kind met pijn te helpen, of een greep te doen in de eeuwig groeiende stapel wasgoed.

Na een dag hard werken stond hij in de deuropening en riep: 'Vrouw, ik ben thuis!' En zij hield zich dan in om niet los te barsten in een terechte klaagzang en riep ergens in huis: 'Man, daar ben ik blij om!'

Hun kinderen waren een bron van plezier voor hen. Waren ze doorsnee? Niet voor hun ouders, die veel van ze hielden. Was dat overdreven? Alleen maar als je vindt dat liefde afgepast dient te worden en veel liefde een kind verwent.

Eén keer in de zoveel tijd, meestal zo rond hun trouwdag, kwam het oude onderwerp van tante Esther Gubbins weer ter sprake. De discussie hierover gaf het verschil weer tussen het praktische en het romantische. Hij zei dat die Gubbinsvrouw alleen maar toevallig op hun bruiloft was geweest. Zij wist zeker dat tante Esther (een onbekende voor iedereen aan wie zij het had gevraagd: alle bruiloftsgasten en zelfs de hechte kerkgemeenschap) niet iemand was die opeens op bruiloften kwam huilen. Ze was daar met een bedoeling. De kinderen trokken enthousiast partij; de aardse tegen de fantasten.

Nu was hij weg en zij alleen. Als ze terugkeek op haar leven vroeg de vrouw zich wel eens af wat ze zou meenemen als ze de theeketel of pan liet droogkoken en het huis stond in brand. De cameehanger van haar moeder, foto's van haar man met alle kleinkinderen, de keldersleutel of de zevenenveertig dollars die in een oude suikerpot verborgen zaten?

Nee, het zou de verfrommelde, vergeelde achterkant van een enveloppe zijn, die ze al heel lang bewaarde. Hoewel ze een vrouw is die niet altijd meer weet waar de dingen liggen en uren kwijt is om ze te vinden, weet ze precies waar die enveloppe ligt. Onder een stapeltje kanten zakdoekjes, die alleen bij feestelijke gelegenheden worden gebruikt. Op een avond was de man in zijn stoel in slaap gevallen. Hij zat te knikkebollen boven een dikke spionageroman. Ze schreef een berichtje op de achterkant van een enveloppe en legde het in zijn boek. 'Man, ik ben even naar de buurvrouw om haar te helpen met de declaraties voor de ziektekostenverzekering.'

De volgende morgen zag ze dat hij onder haar berichtje had geschreven: 'Vrouw, ik heb je gemist. Je dacht dat ik sliep, maar mijn ogen rustten alleen wat uit. Ik dacht na over die vrouw die met ons gesproken heeft in de kerk, lang geleden. Ik vond altijd dat ze voor een hemelse boodschapper niet het juiste postuur had, maar we moeten nu ophouden ons af te vragen of zij uit de hemel of een andere buurt kwam. Belangrijker is het volgende: wie ze ook was, tante Esther Gubbins heeft gelijk gehad.

Katharina Byrne

Onuitgesproken liefde

Ik ben net thuisgekomen van een vierdaags verblijf in het ziekenhuis. Ik maak mezelf wijs dat mijn haar nodig gewassen moet worden. Natuurlijk is het niet zo, maar een warme en dampige badkamer lijkt me de enige plek waar ik me kan verbergen voor de angst die door mijn hoofd spookt.

Ik heb het onvermijdelijke tijdens het uitkleden vermeden en ik deed het ook niet terwijl ik in het warme schuimende water stapte. Toch kan ik het niet langer uitstellen. Ik kijk langzaam en gespannen naar beneden, naar de lege plaats waar eens mijn linkerborst was.

Het ziet er bont en blauw uit, met allemaal zwarte draadjes met gedroogd bloed. Het is zo vernederend, zo vreselijk lelijk.

Snel beraam ik snode exotische plannen om mijn man, Jim, ervan te weerhouden mij ooit nog naakt te zien. Wederzijdse passie nam een belangrijke plaats in binnen ons huwelijk. Maar dat lijkt nu verleden tijd. Hoe kan ik hem verleiden met een scheef en verminkt lijf? Ik ben pas drieënveertig jaar en door dit verraad schaam ik me zo voor mijn lichaam. Ik lig op mijn rug in het bad en verdriet golft door me heen.

De badkamerdeur vliegt open en Jim komt rechtstreeks mijn wolk van zelfmedelijden binnen. Hij zegt geen woord, hij leunt voorover en plaatst langzaam zijn lippen op mijn oogleden, één voor één. Hij weet dat ik dit het prettigst vind van al onze liefkozingen. Nog steeds is hij stil en zonder enige terughoudendheid gaan zijn ogen naar beneden. Ik omarm mezelf uit bescherming tegen de onvermijdelijke verandering.

Jim kijkt naar mijn wond en kust teder de stekelige hechtingen, niet één keer maar twee-, driemaal. Hij staat op en glimlacht, stuurt me dan een airmailkus, het op één na liefste, en sluit de deur stilletjes achter zich.

Warme tranen rollen over mijn wangen en vallen zachtjes in het badwater. De wond op mijn borst is er nog steeds, maar die op mijn hart is weg.

Margie Parker

Onscheidbaar

Liefde telt uren als maanden en dagen als jaren en elke korte afwezigheid duurt een eeuw.

John Dryden

Toen alle wetenswaardigheden over hun liefdesleven breed waren uitgemeten bleef er dit verbazingwekkende detail over: Paul en Linda McCartney waren bijna elke nacht bij elkaar.

In de dertig jaar dat ze samen waren, waren ze maar één dag gescheiden. Linda reisde mee met de Beatles en de andere bands van Paul en hij was altijd bij haar om haar foto's of kookboeken te promoten.

Thuis of elders sliepen ze altijd onder hetzelfde dak en deelden brood, zweet en herinneringen.

Een paar avonden voordat ik hoorde dat Linda McCartney was gestorven zat ik in een vreemde stad en dineerde met een aantal andere journalisten.

De meesten waren alleen naar de conferentie gekomen, het gezin was thuis.

Tijdens het eten spraken we over koetjes en kalfjes, als je vreemden voor elkaar bent is dat het beste wat je kunt doen. Ik voelde me onecht, niet mezelf.

De man naast me leek wel echt. Toen we spraken keek hij vaak naar de andere kant van de tafel waar zijn vrouw zat, druk met haar eigen gesprek.

Hij vertelde dat hij in zijn jonge jaren over de hele wereld was gevlogen, hongerig naar avontuur, verslag uitbrengend over oorlogen en rampen. Twee huwelijken waren stukgelopen. Hij kwam tot rust en trouwde weer. Hij had het afgelopen jaar in Zuid-Afrika doorgebracht.

Zijn vrouw kon niet bij hem zijn behalve voor korte bezoekjes. Haar bloeiende carrière lag hier.

Nu hij bijna zestig was zou hij het liefst weer teruggaan naar Zuid-Afrika. Een nieuw gevoel weerhoudt hem er echter van.

Hij vertelde me: 'Ik wil bij haar zijn. Ik wil elke nacht bij haar zijn.'

Ik slikte even en knikte: 'Het leven is kort.'

Het is grappig dat als je jong bent, je zegt dat het leven te kort is om daarmee je uitstapjes te rechtvaardigen, of ze nou emotioneel of fysiek zijn. Als je ouder bent zeg je hetzelfde om te rechtvaardigen dat je thuis wilt blijven, bij de persoon van wie je houdt.

Voor sommige mensen klinken zulke relaties beklemmend. Zij willen de ruimte en zijn bang om verzwolgen te worden of verloren te gaan in een tweetal.

Zo voelde ik het in het begin van mijn huwelijk ook. We waren niet vaak samen vanwege ons werk. Hij vloog weg. Ik vloog weg. Het was leerzaam en wanneer het niet zo eenzaam was kon je het gezond noemen. We hadden er zelfs een metafoor voor verzonnen: Wij reizen door het leven in twee verschillende boten die als het even kan in dezelfde haven aanleggen.

Nu willen we niets anders dan onze bootjes aanmeren aan dezelfde boei en elke nacht samen dobberen.

Onze vrienden vertellen dat zij dat ook ervaren.

Wat is er gebeurd?

In de eerste plaats besef je dat het telefonisch doornemen van de dag nooit hetzelfde is als het delen van zo'n dag. Zij aan zij, je leeft gelijktijdig. Je hebt dezelfde herinnering, waarvan de details zich vermengen, iedere keer dat je erover praat.

Los van elkaar heb je aparte herinneringen. Het maakt niet uit hoe belangrijk die zijn, het blijven alleen maar verhalen voor degene die er niet bij was.

Verder, als je terugkijkt, zie je de vele weken en maanden die je doorbracht in achterlijke plaatsen, om onbelangrijke redenen. En als je vooruitkijkt hoef je niet ver te kijken om te zien dat het einde dichtbij is, het komt steeds dichterbij.

Op middelbare leeftijd heb je het gevoel dat je nog maar een paar dagen te leven hebt.

Toen ik een kind was speelde ik met mijn vriendjes dat er een atoombom zou vallen. We hadden nog tien minuten te leven. Wat zou je doen? Waar zou je heengaan? Wiens hand zou je willen vasthouden als het einde komt?

Paul en Linda McCartney waren hier al vroeg achtergekomen, ze bleven dertig jaar bij elkaar. In de muziek, in het lachen en in goede tijden. Waarschijnlijk vergaten ze dat er ooit een moment zou komen dat ze los moesten laten.

Susan Ager

4

Begrip voor elkaar

Er is niets dat je kunt doen, bereiken of kopen dat zo prachtig is als de vrede, de vreugde en het geluk van het samenzijn met de partner van wie je houdt.

Drs. Evely en Paul Moschetta

Het scorebord

Liefhebben is je eigen geluk gebruiken voor het geluk van de ander.

Gottfried Wilhelm Van Lubreitz

De film was afgelopen en de kamer vulde zich met stemmen. Het knapperende haardvuur, de schitterende lichtjes in de kerstboom en het gelach van mijn familie gaven me een tevreden gevoel en ik glimlachte. Op dat moment zei mijn moeder: 'Wie wil...' en de kamer liep sneller leeg dan de tribunes na een verloren voetbalwedstrijd.

Mijn vriend Todd en ik waren de enige achterblijvers. Hij keek verbaasd om zich heen en vroeg wat er gebeurd was. Ik zag het lachende gezicht van mijn moeder en legde hem uit: 'Wij gaan, met mijn moeders auto, tanken.'

Verbaasd antwoordde hij: 'Het is ontzettend koud en het is al half twaalf.'

'Dan kun je maar beter je jas en handschoenen aandoen,' zei ik lachend.

We krabden het ijs van de voorruit en kropen dicht tegen elkaar aan in de auto. Onderweg vroeg Todd aan mij of ik uit kon leggen waarom wij in hemelsnaam zo laat nog voor mijn moeder gingen tanken. Ik giechelde: 'Als mijn broers en zussen en ik met de feestdagen thuiskomen helpen we mijn vader door voor mijn moeder te tanken. Het is een spel geworden. We weten precies wanneer ze het gaat vragen en de laatste in de kamer moet het doen.'

'Dat meen je niet?' reageerde Todd.

'En je kunt er niet onderuit,' antwoordde ik.

Terwijl we tankten sloegen we onze handen warm en stampten met onze voeten. 'Ik begrijp het nog steeds niet. Waarom tankt jouw moeder niet zelf?' Todd kon er maar niet over uit.

Ik keek hem vrolijk aan: 'Ik weet dat het gek klinkt, maar mijn moeder tankt al tientallen jaren niet. Dat doet mijn vader voor haar.' Verwonderd vroeg Todd of mijn vader er nooit genoeg van had om dat altijd voor zijn vrouw te moeten doen. Ik schudde mijn hoofd. 'Nee, hij heeft nooit geklaagd.'

'Dat kan ik me niet voorstellen,' was Todds reactie.

'Toch is het zo,' legde ik geduldig uit. 'Toen ik met de kerstvakantie thuiskwam, na het eerste jaar aan de universiteit, dacht ik dat ik al heel wat wist. Ik was heel erg bezig met de vrouwelijke onafhankelijkheid. Op een avond waren mijn moeder en ik kerstcadeautjes aan het inpakken. Ik vertelde haar dat ik als ik trouwde mijn man in het huishouden moest helpen; schoonmaken, wassen en koken enz. Toen vroeg ik haar of zij het wassen en de afwas nooit zat was. Ze zei dat ze het helemaal niet erg vond. Dat was voor mij ongelooflijk. Ik begon te preken over de jaren negentig en gelijkheid van man en vrouw.

Ma luisterde geduldig. Daarna legde ze het lint opzij en keek me doordringend aan: "Op een dag zul je het begrijpen."

Dit antwoord irriteerde me mateloos en ik begreep er niets van. Daarom eiste ik een uitleg. Ze glimlachte en begon:

"In een huwelijk zijn er dingen die je leuk vindt om te doen en dingen die je niet leuk vindt. Samen zoek je uit wat je voor de ander wilt doen. Je deelt verantwoordelijkheden. Ik vind het helemaal niet erg om de was te doen. Het is waar dat het veel tijd in beslag neemt, maar het is iets dat ik graag voor jouw vader doe. Aan de andere kant vind ik tanken vreselijk. De benzinelucht vind ik vies en ik heb er een hekel aan om in de kou te staan. Daarom tankt jouw vader altijd voor mij. Je vader doet de boodschappen en ik kook. Je vader maait het gras en ik maak schoon. Ga zo maar door.

Weet je", ging mijn moeder verder, "er is geen geen scorebord in een huwelijk. Je doet kleine dingen om voor elkaar het leven te vergemakkelijken. Als je het beschouwt als het helpen van degene van wie je houdt, vind je het niet erg om dingen zoals wassen, koken of wat dan ook te doen, want je doet het uit liefde."

De afgelopen jaren heb ik vaak aan die woorden van mijn moeder gedacht. Ze heeft een goede kijk op het huwelijk. Ik vind het fijn hoe mijn ouders voor elkaar zorgen. En weet je wat? Als ik ooit trouw wil ik ook geen scorebord.'

Todd was ongewoon stil op weg naar het huis van mijn ouders. Toen we er waren, zette hij de motor uit, keek mij aan en met een warme glimlach en sterretjes in zijn ogen zei hij zachtjes: 'Ik zal, als je wilt, altijd voor je tanken.'

Marguerite Murer

Doorverbonden worden

God zit in het detail.

Ludwig Mies van der Rohe

Mijn vrouw Lisa en ik ploeterden dagelijks om het wekelijkse krantje uit te brengen in Guthrie, Oklahoma. Ik schreef en Lisa verkocht advertenties. Vele avonden werkten we tot ver na middernacht, terwijl de rest van de stad en onze kinderen al sliepen.

Ook die avond waren we het bed ingekropen om er een paar uur later weer uit te kruipen. Ik at mijn cornflakes, dronk spuitwater en ging op weg naar de drukker in Oklahoma City. Lisa hielp onze vijf kinderen aan de juiste sokken en stuurde de oudste drie met een lunchpakketje naar school. Ik was zo moe dat ik bijna niet kon rijden. Lisa was zo moe dat ze eigenlijk niets kon doen.

'De zon schijnt en het is éénentwintig graden. Weer een mooie dag,' hoorde ik de diskjockey enthousiast roepen op de autoradio. Ik negeerde hem.

Ik kon echter niet voorbijgaan aan mijn dorst en het was nog een heel eind naar de stad. Een paar kilometer van ons huis vandaan reed ik de parkeerplaats van een wegrestaurant op.

Ondertussen had Lisa, hoewel ze uitgeput was, het ook druk. Ze moest onder andere het energiebedrijf bellen en hun uitleggen waarom de rekening nog niet was betaald en vragen of we nog een dag warm water en airconditioning mochten gebruiken. Ze zocht het telefoonnummer en belde op.

Ik stapte uit de auto bij het wegrestaurant en hoorde de telefoon in de telefooncel rinkelen. Ik was alleen daar, maar toch keek ik in het rond. 'Kan iemand de telefoon opnemen?' riep ik, net zoals ik thuis altijd deed.

Het zal ongetwijfeld verkeerd verbonden zijn, dacht ik en zei hardop: 'Waarom ook niet?' Ik liep naar de telefoon en pakte de hoorn van de haak.

'Hallo?'

Het was stil aan de andere kant en toen een gil.

'Thom! Wat doe jij bij het energiebedrijf?'

'Lisa? Waarom bel jij in hemelsnaam naar een telefooncel bij een wegrestaurant?'

Het gesprek ging van 'Ik kan het niet geloven' tot 'Dit is best wel eng'. Ik dacht even dat we terecht waren gekomen in een opname van het tv-programma *Candid-camera*.

We bleven aan de lijn en na onze eerste kreten van verbazing raakten we in gesprek. Een rustig, echt gesprek zonder onderbrekingen. Het eerste sinds heel lang. We spraken zelfs over de elektriciteitsrekening. Ik zei haar dat ze wat moest gaan slapen en zij vertelde mij dat ik mijn autogordel moest omdoen en geen spuitwater meer moest drinken.

Ik wilde niet ophangen, het was zo'n bijzondere gebeurtenis. De telefoonnummers van het energiebedrijf en de telefooncel verschilden maar in één cijfer. Toch was het erg onwaarschijnlijk dat ik op dat moment daar was om de telefoon op te nemen. We konden ons alleen maar voorstellen dat God wist dat we elkaars stem nodig hadden. Hij had ons doorverbonden.

Dat telefoontje was het begin van kleine veranderingen in ons gezin. We vroegen ons af hoe het kwam dat wij zo toegewijd werkten, terwijl de kinderen door iemand anders naar bed gebracht werden. Waarom zat ik eigenlijk 's ochtends aan de ontbijttafel zonder 'Goeiemorgen' te zeggen?

Twee jaar later waren we gestopt met het werk dat ons leven zo domineerde en ik had een nieuwe baan bij de telefoonmaatschappij. Je kunt mij niet wijsmaken dat God geen gevoel voor humor heeft.

Thom Hunter

De rollen omgedraaid

Mary was getrouwd met een echte macho. Beiden werkten fulltime, maar hij deed thuis niets en zeker geen huishoudelijk werk. Dat was iets voor vrouwen, vond hij.

Toen Mary op een avond thuiskwam waren de kinderen echter al in bad gedaan, er was al een was gedraaid en gedroogd, het eten gekookt en de tafel gedekt met bloemen erop.

Ze was heel erg verbaasd en wilde onmiddellijk weten wat er aan de hand was. Het bleek dat Charley, haar echtgenoot, een artikel in een tijdschrift had gelezen waarin stond dat werkende vrouwen romantischer werden als ze niet zo moe waren van het huishoudelijk werk naast hun fulltime baan.

Ze kon bijna niet wachten om het de volgende dag aan haar vrienden op kantoor te vertellen. Die vroegen: 'En, hoe ging het verder?'

Mary antwoordde: 'Nou, het eten was heerlijk. Charley heeft zelfs afgeruimd en de kinderen met hun huiswerk geholpen, het wasgoed opgevouwen en alles in de kast gelegd.'

'Wat gebeurde er daarna?' Iedereen was vreselijk benieuwd.

'Niets. Charley was te moe!'

uit: *The Best of Bits & Pieces*

Een benarde situatie

Leuke herinneringen zijn soms de meest bijzondere manier om onze geliefden te gedenken. Het helpt het gemis te verdragen. Voordat mijn man overleed vond hij het leuk het volgende aan onze vrienden te vertellen. Ook nu ik het met u deel moet ik glimlachen.

De zoon van de buren ging in 1971 trouwen in een katholieke kerk, ver buiten de stad. Mijn man en ik waren uitgenodigd. Vlak nadat we het hoorden haastten we ons naar het plaatselijke warenhuis. Ik kocht een roze, linnen japon met jasje en leuke bijpassende accessoires. De jurk was wel een beetje te krap, maar ik had tot 30 juni nog een maand om af te vallen.

Op 29 juni was ik natuurlijk niet afgevallen, maar zelfs een kilo aangekomen. Dat zou met een corrigerend pantybroekje wel op te lossen zijn. Onderweg gingen we dus nog even langs de winkel. Ik rende naar binnen en vertelde dat ik een pantybroekje nodig had in de maat Large.

De verkoper vond nog zo'n broekje in een doos met een label LG erop. Hij vroeg of ik het wilde passen. 'O, nee, dat is niet nodig. Een large past zeker.'

De volgende dag was het bloedheet, 32 °C. Ik wachtte daarom met aankleden tot drie kwartier voor het vertrek. Ik deed de doos open en ontdekte dat er een nieuw satijnen pantybroekje ter waarde van $ 49,95 in zat, maat Small. Het was te laat om een ander te zoeken en zonder zou de jurk mij niet passen. Het gevolg was een gevecht op de hotelkamer tussen mij en het broekje. Heeft u ooit geprobeerd om tien kilo aardappelen in een vijfkilozak te krijgen? Uiteindelijk heeft mijn man, al schaterlachend, mij geholpen door het broekje aan beide kanten vast te houden en me naar beneden te schudden. Eenmaal ingesnoerd deed ik al mijn roze accessoires aan. Ze kleurden weliswaar niet zo goed bij mijn rood aangelopen hoofd, maar ik was klaar.

Onderweg naar de kerk vroeg mijn man steeds: 'Gaat het? Je ziet er zo raar uit!' en dan lachte hij weer onbedaarlijk. Mannen waarderen nou eenmaal niet genoeg wat vrouwen doen om er goed uit te zien.

Toen we plaatsnamen in de kerkbank vroeg hij of ik het echt nog wel aankon. Hij begon nu bezorgd te worden, omdat ik zo raar ademhaalde. Ik verzekerde hem dat het wel ging. Wij zijn baptisten en de trouwdiensten duren bij ons ongeveer dertig minuten. Ik nam daarom aan dat deze niet veel langer zou duren.

Naast ons zaten twee oude dames die zich beleefd aan ons voorstelden. Een van hen zei: 'Wat fijn hè! Ze houden een hoogmis.'

'Ja, heel fijn,' zei ik en vroeg aan mijn man: 'Wat is een hoogmis?' Hij haalde zijn schouders op.

Al heel snel begreep ik dat deze dienst één uur, twintig minuten en achtenhalve seconde duurde. De pastoor zegende alles behalve mijn pantybroekje.

Aan de linkerkant van de kerk huilde de moeder van de bruid en aan onze kant huilde ik. Een van de dames gaf de ander een por in de zij en fluisterde: 'Kijk eens, zij is zo ontroerd.'

Ze hadden gelijk, ik was nog nooit zo geëmotioneerd geweest. Mijn enkels zwollen op, mijn knieën waren blauw en ik had geen gevoel meer in mijn dijen. Mijn echtgenoot wuifde me koelte toe met mijn roze tasje, was bezorgd en probeerde me te troosten.

Nadat de pastoor had vastgesteld dat het bruidspaar getrouwd was, liep de trouwstoet naar de uitgang met mij als vijfde bruidsmeisje en mijn man vlak achter me. Hij vroeg nog steeds: 'Is alles in orde? Kan ik iets doen? Kun je ademen?'

Ik kon alleen maar hijgen: 'Help me naar buiten.'

We hupten naar onze auto op de parkeerplaats en mijn man opende snel de passagiersdeur. Er stond een andere auto naast. En daar ten overstaan van God, de mensheid en de trouwerij wrong ik mijn pijnlijke lichaam uit mijn panty-broekje. Ik tilde net mijn voet op om die elastieken martel-kamer uit te trekken toen dat stomme broekje uit mijn hand schoot en onder de auto belandde die naast ons stond. Mijn man moest zo vreselijk lachen dat hij niet in staat was om voorover te buigen en het op te rapen. Ik was er te ziek voor. Dus reden we weg.

Wij hebben ons vaak afgevraagd wat de kerkgangers van dat keurige kerkje die volgende ochtend gedacht hebben toen ze een uitgelubberd satijnen pantybroekje maat Small van $ 49,95 op hun parkeerplaats zagen liggen.

Barbara D. Starkey

De rijkste vrouw van de wereld

Ik ben zojuist bij een vriendin geweest die getrouwd is met een heel erg rijke man. Ter gelegenheid van hun verloving gaf hij haar een ring met een robijn ter waarde van $ 35.000. Ze kreeg voor moederdag een collier van smaragden van $ 25.000. Om hun enorme huis op twee hectaren land te kunnen inrichten gaf hij haar $250.000. Haar badkamer alleen al kostte $120.000. Zelfs haar honden eten van zilveren borden met hun naam erin gegraveerd.

Haar man heeft haar overal mee naartoe genomen. Naar Tahiti voor de zon, naar Parijs voor de kleren, Londen voor het theater en naar Australië voor het avontuur. Er is geen plaats waar ze niet heen kan gaan, er is niets dat ze niet kan kopen, niets dat ze niet kan hebben maar er is één ding: Hij houdt niet van haar zoals zij zou willen.

We zaten gisteravond in haar studeerkamer en we spraken zoals alleen vrouwen spreken die elkaar van jongs af aan kennen. We praatten over ons lichaam, dat verandert met het verstrijken der jaren. Het hare wordt steeds ronder vanwege het nieuwe leven dat ze draagt. We spraken over waar we vroeger in geloofden en onze zoektocht naar de nieuwe invulling ervan. Onze echtgenoten kwamen ook ter sprake. Haar rijke, succesvolle financier en mijn hardwerkende, worstelende kunstenaar.

'Ben jij gelukkig?' vroeg ik haar. Even was ze stil en speelde met haar drie-karaats diamanten trouwring. Langzaam, bijna fluisterend begon ze het uit te leggen. Ze waardeerde al de rijkdom, maar ze zou het direct verruilen voor die bepaalde liefde die zij voor haar man niet voelde. Haar liefde voor hem was eerder intellectueel. Ook was ze het niet eens met veel van zijn waarden en normen in het leven en voelde zich daardoor ook niet seksueel tot hem aangetrokken. Hij was wel toegewijd en zorgde voor haar, maar hij gaf haar niet het gevoel van eindeloos liefhebben; de aanhankelijkheid, de tederheid, lieve woordjes, het luisteren, de gevoeligheid, het verzorgen, het respect en de bereidheid iedere dag aan de relatie te werken.

Toen ik haar zo hoorde praten realiseerde ik me, nog meer dan voorheen, dat de liefde van mijn echte vriend mij rijker maakte dan al het materiële bezit dat een man mij ooit kan geven. Het was niet voor het eerst dat ik zoiets bedacht, maar haar verhaal deed me denken aan mijn eigen geluk.

Ik dacht aan de la vol kaartjes en liefdesbriefjes die hij had geschreven, en de drie lieve nieuwste versies die ik in mijn tas zaten. Ik dacht eraan hoe hij mij aanraakt, hoe hij altijd mijn hand vastpakt als we oversteken, mijn haar streelt als ik met mijn hoofd in zijn schoot lig, me vastpakt en mijn hals kust, zijn regen zoentjes op mijn gezicht als ik hem op fouten betrap. Ik dacht aan de avonturen die wij samen in ons hoofd beleven, de ideeën en concepten die we ontdekken, met begrip over ons verleden en verlangend naar de toekomst. Ik dacht aan ons vertrouwen, ons respect en onze honger naar het leven en het leren.

Op dat moment begreep ik dat mijn vriendin jaloers was op mij en mijn relatie. Zij, in haar luxueuze huis, behangen met juwelen, benijdde ons om onze vitaliteit, onze speelsheid, onze passie, onze toewijding. Ja, onze toewijding.

Toen begreep ik dat wat het belangrijkste dat wij samen hebben, deze toewijding is. We hebben elkaar zo totaal lief, zo diep als we kunnen en zo lang als we willen.

Het is geen verbintenis waar je het expliciet met anderen over hebt gehad, die je zelfs niet hebt uitgesproken tegenover elkaar.

Het is niet iets dat wordt gesymboliseerd door een diamant, zelfs niet door een gouden ring.

Het wordt niet bepaald door de tijd of ruimte waarin we alleen of met elkaar leven.

Het is meer een levensband die elke keer weer wordt bevestigd als we elkaar uit puur plezier vastpakken, iedere keer als we de waarheid spreken, steeds als de een de ander steunt of troost, en altijd als we pas ontdekte inzichten of emoties met elkaar delen.

Het is een band die zichtbaar wordt in ieder nieuw niveau van vertrouwen, in elke nieuwe laag van kwetsbaarheid, elke nieuwe diepte van liefde.

Het is een verbintenis die steeds opnieuw wordt ontdekt zoals we iedere dag opnieuw uitvinden wie we zijn en hoeveel liefde we kunnen geven.

Het is een samenzijn in het ware huwelijk van twee zielen en de huwelijksceremonie ligt besloten in ieder moment dat we elkaar liefhebben en wordt iedere dag dat die liefde groeit gevierd.

Toen ik vandaag thuiskwam, lag er een cheque op me te wachten. Geld dat ik niet verwachtte. Ik moest lachen om de betekenisloze rij met cijfers.

Gisteravond na mijn gesprek met mijn vriendin heb ik het verschil geleerd tussen geld hebben en echt rijk zijn. En ik ben de rijkste vrouw van de wereld.

Barbara De Angelis

De mayonaiseoorlog

Lang geleden, toen ik pas christen was geworden, schepte ik op over het feit dat het echtscheidingspercentage onder de actieve christenen slechts één op de duizend was.

Helaas is dat allang niet meer zo.

Als boekenverkoper en -lezer valt het me op dat er zelfs steeds meer titels over huwelijksproblemen onder christenen komen. De eed was nou eenmaal 'In voorspoed en tegenspoed', maar als ik terugkijk op mijn eigen huwelijk, dan zie ik hoeveel valkuilen er waren als gevolg van verkeerde verwachtingen.

Mijn vrouw dacht dat zij een brave Hendrik trouwde en ik nam aan dat iedere pasgetrouwde vrouw zo uit een advertentie van een tijdschrift was gestapt, met een spuitbus Pledge in de ene en roerend in de stroganoff met de andere hand en daarbij ook nog een kwaliteitszegel op het voorhoofd had.

Wat een verrassing! We hadden het allebei fout. Daar kwam ik de eerste avond al achter toen ik de ijskast opende om een broodje te maken.

'Hé, lieverd... waar is de mayonaise?'

Stilte. En toen: 'Schat... ik gebruik nooit mayonaise, ik neem altijd yogonaise.'

Weer was het stil.

De volgende dagen kwamen we erachter dat zij van Macleans hield en ik poetste met alles wat maar in de reclame was. Ik hield van groene olijven en zij wilde alleen de zwarte. Als ik rillend de verwarming en de elektrische deken een graadje hoger zette, stond zij achter me om ze weer een graadje lager te zetten. Zij wilde graag op de zondagmiddag een autotochtje maken, net zoals vroeger. Hierop reageerde ik dan met: 'Ja, maar toen was de benzine zo goedkoop. We kunnen beter naar een ouwe film kijken.'

Het ergste was dat zij een ochtendmens was, eentje die uit bed springt als een geroosterde boterham uit het broodrooster, terwijl ik wakker werd met mijn pyjama vastgespijkerd aan het bed. 'Als God had gewild dat wij de zonsopgang zagen, dan had hij die wel later op de dag gepland,' legde ik uit.

We hebben het gevierd dat we er op een avond achterkwamen dat we beiden van een goeie soap hielden.

We ontdekten dat geen probleem zo klein is of er kan wel een groot probleem van worden gemaakt en dat twee monologen niet hetzelfde zijn als een dialoog. Maar bovenal leerden we dat we niet meer in aparte werelden leefden zoals we als vrijgezellen deden. Het was onze taak nu een nieuwe wereld te smeden waarin we beiden konden leven.

Na al die jaren ben ik nog steeds een nachtmens en mijn vrouw een vroege vogel. Ze heeft ook moeten accepteren dat ik nooit een brave Hendrik, noch een Pietje Precies zal zijn. Ik zie nu wel in dat zij niet uit een tijdschrift over het perfecte huishouden is gestapt maar eerder uit de *Readers Digest*.

Belangrijker is echter dat we van elkaar houden en daarom houdt ze nu ook van grutten in de pap bij het ontbijt of wanneer dan ook en ik heb eindelijk begrepen dat de vuilnis niet vanzelf naar buiten gaat.

We hebben nu ieder een eigen elektrische deken en als ik het koud heb doe ik een trui aan. Maar in de ijskast staan als twee tortelduifjes een pot mayonaise en yogonaise naast elkaar.

Nick Harrison

De vrouw achter de man maakt hem groot

Thomas Wheeler, algemeen directeur van de Massachusetts Mutual levensverzekeringsmaatschappij, en zijn vrouw reden op de snelweg. Hij zag dat de benzine bijna op was en nam de eerstvolgende afslag. Hij vond al snel een oud en verwaarloosd benzinepompstation met maar één pomp. Hij vroeg de pompbediende zijn tank te vullen en de olie na te kijken. Hijzelf ging wat lopen om zijn benen te strekken.

Toen hij terugkwam bij de auto zag hij dat zijn vrouw een geanimeerd gesprek had met de man. Het gesprek stopte op het moment dat hij hem betaalde. Hij stapte weer in zijn wagen en zag de pompbediende zwaaien en hoorde hem zeggen: 'Leuk je weer eens gesproken te hebben.'

Toen ze wegreden vroeg Wheeler zijn vrouw of zij hem kende. Dat gaf ze volmondig toe. Ze waren samen op de middelbare school geweest en hadden een jaar lang vaste verkering gehad.

'Nou, bof jij even dat ik langskwam,' pochte Wheeler. 'Als je met hem was getrouwd zou je de vrouw van een pompbediende zijn geweest in plaats van de vrouw van de directeur.'

'Schat, als ik met hem was getrouwd, was hij de directeur geweest en jij de pompbediende,' antwoordde zijn vrouw.

The Best of Bits & Pieces

5

Hindernissen nemen

Je hart leeft niet als het geen pijn heeft gekend... De pijn van liefde opent een hart, ook al is het zo hard als een steen.

Hazrat Inayat Khan

Waar liefde is

Alleen als we echt beseffen dat onze tijd op aarde beperkt is en alleen als we ons realiseren dat we niet weten wanneer die tijd voorbij is, beleven we iedere dag volledig alsof het de enige is die we hebben.

Elisabeth Kübler-Ross

Niemand weet waar de liefdespijlen van Cupido terechtkomen. Soms op de meest onwaarschijnlijke plaatsen. Het was dan ook een verrassing toen ze, in een buitenwijk van Los Angeles, hun doel troffen in een revalidatiecentrum waar patiënten wonen die zich niet meer zelf kunnen bewegen.

Toen de staf het nieuws hoorde begonnen enkelen te huilen. De directeur was eerst ontzet, maar Harry MacNarama zou daarna deze dag als de mooiste van zijn leven beschouwen.

Het probleem was toen hoe ze de trouwjurk zouden gaan maken, maar hij was ervan overtuigd dat zijn staf wel een oplossing zou vinden. Toen een verpleegster aanbood hiermee te helpen was Harry opgelucht. Hij wilde dat dit de mooiste dag in het leven van twee van zijn patiënten zou worden: Juana en Michael.

Michael was die dag in zijn rolstoel Harry's kantoor binnengekomen, hij zat vastgebonden en hij haalde zwaar adem door zijn kunstmatige opening in de luchtpijp.

'Ik ga trouwen, Harry,' kondigde Michael aan.

Harry's mond viel open van verbazing. 'Trouwen? Met wie?'

'Met Juana. We houden van elkaar.'

De liefde. De liefde had haar weg gevonden door de ziekenhuisdeuren, naar het hart van twee mensen van wie het lichaam niet meewerkte; ze konden zich niet zonder hulp aankleden en voeden, hadden hulpmiddelen nodig om te ademen en zouden nooit meer kunnen lopen. Michael had spieratrofie en Juana multiple sclerose.

Dat dit huwelijksvoorstel serieus was bleek wel toen Michael een verlovingsring liet zien en zo gelukkig keek als hij in jaren niet had gedaan. Nog nooit had de staf een vriendelijkere en lievere Michael meegemaakt. Hij was altijd boos en moeilijk voor het personeel geweest.

Zijn kwaadheid was begrijpelijk. Vijfentwintig jaar had Michael in een medisch centrum gewoond. Zijn moeder had hem daar gebracht toen hij negen jaar was en hem, tot ze overleed, wekelijks een aantal malen bezocht. Hij was altijd wel moeilijk, iemand die uit een soort gewoonte de verpleging dwars zat. Ondanks dat voelde hij zich daar thuis. De andere patiënten waren zijn vrienden.

Hij had ook een hechte band met Betty Vogle, een vrouw van zeventig die als vrijwilligster werkte. Zij had de weg naar Michaels hart gevonden, wat een hele opgave was. Ze waste voor hem en was er als hij haar nodig had.

Er was ook een meisje geweest die rondreed in een piepende rolstoel. Michael was ervan overtuigd dat ze een oogje op hem had. Ze was echter niet lang in het centrum gebleven. Michael trouwens ook niet. Na bijna zijn halve leven daar te hebben doorgebracht moest ook hij weg.

Het centrum ging dicht en Michael werd overgeplaatst naar een revalidatiecentrum, ver weg van zijn vrienden en wat veel erger was: ver weg van Betty.

Vanaf dat moment trok Michael zich terug. Hij wilde zijn kamer niet meer uit en liet geen licht toe in de ruimte. Zijn zus, een roodharige vrouw die bruiste van leven, was bezorgd. Betty, die meer dan twee uur onderweg was naar hem toe, trouwens ook. Michael werd onbereikbaar voor iedereen.

Op een dag – hij lag op bed – hoorde hij een bekend geluid op de gang. Het klonk net zoals die oude piepende rolstoel die dat meisje, Juana, in het vorige centrum had gehad.

Het piepen hield vlak voor de deur op en Juana keek naar binnen. Ze vroeg of hij met haar naar buiten wilde gaan. Hij was nieuwsgierig en vanaf het moment dat hij Juana weer had ontmoet leek het alsof er leven in hem was geblazen, door haar.

Hij keek weer naar de wolken en de blauwe hemel. Hij nam deel aan het recreatieprogramma van het centrum en sprak urenlang met Juana. Zijn kamer was zonnig en licht. En op een dag vroeg hij Juana, die sinds haar vierentwintigste in een rolstoel zat, of zij met hem wilde trouwen.

Juana had al een zwaar leven achter de rug. Ze was voortijdig van school gehaald, omdat ze soms in elkaar zakte en vaak viel. Haar moeder dacht dat ze lui was en sloeg haar veel. Juana was zo bang dat haar moeder haar op een dag niet meer zou willen hebben dat ze op de dagen dat ze zich beter voelde het huis poetste als een kleine werkster.

Voor ze vierentwintig jaar was kreeg ze een tracheotomie zodat ze kon ademen en toen werd de diagnose multiple sclerose officieel gesteld. Voor haar dertigste woonde ze al in een tehuis met vierentwintiguurshulp.

Toen Michael haar die bijzondere vraag stelde, was ze bang dat hij haar alleen maar plaagde en die pijn zou ze niet aankunnen.

'Hij zei dat hij van me hield en ik dacht alleen maar dat hij me voor de gek hield. Ik was daar zo bang voor. Maar hij verzekerde me dat hij echt van me hield,' vertelde Juana.

Op Valentijnsdag droeg Juana een witsatijnen jurk, afgezet met witte pareltjes. De jurk was wijd genoeg om over haar rolstoel en zuurstoffles te hangen. Juana werd door Harry naar het altaar gebracht. Haar gezicht was nat van de tranen.

Michael droeg een wit overhemd, zwart colbert en over zijn tracheotomie had hij een keurige vlinderdas. Hij straalde van vreugde.

In de deuropeningen stonden verpleegsters en de zaal zat vol patiënten. Ander ziekenhuispersoneel stond in de gangen en overal hoorde je onderdrukt snikken. In de geschiedenis van het ziekenhuis waren nog nooit twee mensen, die hun leven lang aan een rolstoel waren gekluisterd, met elkaar getrouwd.

De recreatieleidster, Janet Yamaguchi, had alles geregeld. Medewerkers gaven geld om rode en witte ballonnen, bloemen en een sierboog te kopen. Janet en de ziekenhuiskok maakten een bruidstaart van drie lagen. De marketingmedewerker had een fotograaf ingehuurd.

Janet regelde ook alles met de familie. Zij ervoer dit huwelijk als een van de grootste uitdagingen in haar leven en niets had ooit meer voldoening gegeven.

Ze had aan alles gedacht.

Omdat het niet mogelijk was dat Juana en Michael elkaar kusten na de inzegening van hun huwelijk, verbond Janet op dit romantische moment de twee rolstoelen met een wit satijnen lint.

Na de plechtigheid glipte de dominee even weg om haar tranen te drogen. 'Ik heb al zoveel huwelijken gesloten, maar dit is tot nu toe de mooiste. Deze mensen hebben hindernissen genomen en ware liefde getoond,' zei ze.

Die avond rolden Michael en Juana voor het eerst samen naar hun eigen kamer. Het personeel verraste hen met een bruidsdiner en een glas champagne voor een persoonlijke toost. Michael en Juana beseften wel dat ze veel mensen hadden bewogen met hun liefde, maar zij hadden het mooiste cadeau gehad. Zij hadden liefde ontvangen. Zo zie je maar, dat je nooit weet waar Cupido zijn liefdespijlen laat terechtkomen.

Diana Chapman

Een geschenk van liefde van Derian

Ach natuurlijk sterft er niets, maar er is iets dat rouwt.

Lord Byron

Onze zoon Derian werd na de eerste vierentwintig uur van zijn leven gezond verklaard. We stonden op het punt het ziekenhuis te verlaten toen hij blauw aanliep en met spoed een hartoperatie moest ondergaan. Vanaf het moment dat ons de ernst van Derians toestand werd uitgelegd, nam ons leven een andere wending. We veranderden omdat we geen keus hadden.

We hielden onze pasgeboren baby in de armen in afwachting van de chirurg die hem zou opereren. We waren in een zee van verwarring, verschrikkingen, wanhoop en woede gegooid. We hielden elkaars hand vast toen we hem kusten en hoopten dat we hem ook weer konden begroeten na een succesvolle operatie. De verpleging kwam en nam hem van ons over en beloofde goed voor hem te zorgen. Het deed pijn toen Derian door vreemden in blauwe pakken werd meegenomen. We huilden en hielden elkaar stevig vast.

Vanaf dat moment veranderde onze relatie. We hadden elkaar nog nooit zo nodig gehad. Niemand kon voelen wat wij voor ons kind voelden. Niemand zou deze strijd hetzelfde ervaren. Niemand voelde de pijn en de angst zoals wij die voelden. We waren vastbesloten dit kind op te voeden. We werden een vereende kracht, een solide eenheid: Derians ouders. Vreemd genoeg hadden we, zelfs toen de dood over onze schouders gluurde en zijn schaduw wierp op onze zoon, nooit de moed om samen tot God te bidden en om zijn leven te smeken.

Derian was een echte vechter en hij overleefde de operatie. Een paar dagen later had hij echter een hartstilstand. De volgende avond had hij het ziekenhuis mogen verlaten, maar nu moest hij weer aan zijn hartje worden geopereerd. De eerste zesendertig dagen van ons ouderschap brachten we door in het ziekenhuis.

Het voelde aan alsof we met een klein schip op de woeste zee van het leven waren terechtgekomen. De boot voer snel en beukte wild op de golven en we hadden hem na verloop van tijd niet meer onder controle. Drie maanden nadat we Derian mee naar huis namen ontdekte ik dat ik weer zwanger was. Ik heb vaak gehoord dat God je nooit meer geeft dan je kunt dragen, maar ik voelde me meer dan overbelast.

Ik kon me niet voorstellen dat God dacht dat ik al zo snel een andere baby aan zou kunnen. Kort voordat ik beviel van ons tweede kind onderging Derian nog een noodzakelijke hartoperatie. Weer vocht hij zich erdoorheen en herstelde goed.

Onze Connor werd in september geboren. Ik had vrij genomen van mijn werk op school en dacht het tweede trimester dat jaar weer te beginnen. Eén maand voor ik weer zou gaan lesgeven, bezochten we met Derian de cardioloog voor een controle. Hij vertelde dat Derian die daaropvolgende maand weer aan zijn hartje moest worden geopereerd. We waren ontgoocheld door deze woorden, want ons was verteld dat er geen operaties meer nodig waren. Dit zou de vierde zijn in een leventje van zeventien maanden.

We waren totaal uit het lood geslagen. We hadden de drie maanden zwangerschapsverlof financieel gepland, maar nu moest ik ook nog eens een maand onbetaald verlof nemen. Ik had namelijk geen ziektedagen meer. Konden we ons dat veroorloven? Hoe konden we gelijktijdig voor de pasgeboren baby en Derian zorgen? Hoeveel operaties kon zijn kleine hartje nog aan? Ook was daar altijd de vraag of hij weer zou vechten. We waren bang. De realiteit rukte ons steeds verder weg uit het dagelijks leven. We verdronken in verantwoordelijkheid en wanhoop.

De kerstdagen naderden. We probeerden wel deel te nemen aan de feestelijkheden, maar omdat Derian in januari geopereerd moest worden waren deze dagen minder vrolijk. De kerst was altijd belangrijk geweest voor ons en Robb wilde deze tijd niet voorbij laten gaan zonder aan een paar traditionele genoegens deel te nemen. De uitnodiging voor een kerstviering van het werk nam hij graag aan, al was het alleen maar om weer eens in een 'normale' situatie te zijn. Ik vond het prima dat hij ging. Hij zou zich dan even vrij van zorgen voelen.

Derian en Connor gingen die avond vrij snel slapen en ik was net van plan om ook naar bed te gaan toen Robb thuiskwam. Hij was uitzonderlijk bleek, keek me met een verschrikte blik aan en beefde over zijn hele lichaam. Ik durfde bijna niet te vragen wat er was.

Op een ernstige toon zei hij: 'Patsy, ik moet met je praten. Er is me onderweg iets vreemds overkomen. Terwijl ik reed sprak ik met God.'

Ik hield mijn adem in. Robb en ik hadden nooit samen over God gesproken. Er hing een eerbiedige stilte tussen ons en ik luisterde aandachtig toen hij verderging: 'Ik heb God gezegd dat als hij iemand van ons wil hebben dat hij dan mij maar moet nemen, in plaats van Derian.' Zijn ogen werden rood en ik zag de tranen over zijn wangen lopen.

'Toen voelde ik de warmte van een hand op mijn schouder en een engel fluisterde zachtjes: "Maak je over Derian geen zorgen, het komt wel goed met hem."'

Verdoofd door de betekenis van zijn woorden staarde ik hem even alleen maar aan. Daarna sloegen we de armen om elkaar in een vredige omhelzing.

Dit was het belangrijkste moment van ons huwelijk. Dat Robb zijn spirituele ontmoeting met mij wilde delen, was het intiemste wat ik ooit heb ervaren. Hij legde zijn ziel open voor mij en wat voor één! De liefde die hij voor onze zoon voelde raakte me diep. Vanaf dat moment bekeek ik hem met andere ogen.

Onze zoon overleefde de operatie. Gedurende het jaar dat volgde op Robbs ontmoeting kreeg onze relatie een nieuw gevoel van samenzijn, een nieuwe dimensie van liefde. Ons gedeeld geloof had ons niet alleen emotioneel, maar ook spiritueel nader tot elkaar gebracht. Het sterkte en verenigde ons en zorgde ervoor dat we voorbereid waren op dat wat komen ging. We geloven dat Robbs engel de eenheid binnen ons huwelijk heeft versterkt, om de keiharde realiteit aan te kunnen: de vijfde operatie van Derian.

Deze keer overleefde onze baby het niet. Hij stierf al snel na de operatie.

Hoe verwoestend het ook is om een kind te verliezen, onze relatie is er niet door geschaad. Het was eerder alsof Derian ons een geschenk had gegeven, een geschenk dat ons leerde elkaar inniger lief te hebben. Ondanks de pijn, geloven we nog steeds in het gebed, in wonderen en in God, maar bovenal in de hemelse steun van een kleine engel die Derian heet.

Patsy Keech

In zijn hart gegrift

Het was vlak voor Kerstmis. Mijn man, Dan, en zijn vriend Mike waren naar een berggebied gegaan dicht bij ons huis in Zuid-Californië. Ze keken of de vegetatie, die een paar maanden daarvoor was verbrand, weer groeide. Dan en Mike waren allebei lid van de Vereniging van Californische Inheemse Planten. Het waren echte 'groenzoekers', altijd op pad om te zien wat voor soort planten ze konden vinden en fotograferen.

Die dag besloot Dan, nadat Mike was vertrokken, om nog iets alleen te onderzoeken in de Laguna Canyon. Het is een afgelegen gebied en niet zo vaak bestudeerd. Hij had een paar kilometer geklommen, wat foto's genomen en was weer op weg naar zijn wagen. Toen stapte hij op een stuk grond dat zo nat was dat het wegzakte. Hij viel zo'n tien meter langs de helling naar beneden en raakte een paar bomen voordat hij op een richel terechtkwam. Hij wist meteen dat er iets vreselijk mis was met zijn linkerbeen. Het lag in een onmogelijke hoek over zijn andere been.

Nog versuft van de val duurde het even voordat Dan besefte dat hij niet zou kunnen lopen. Hij realiseerde zich meteen dat hij in een levensgevaarlijke situatie zat. Het zou al snel avond worden en niemand wist waar hij was. Hij moest op een wandelpad zien te komen, want anders zou hij sterven zonder dat iemand hem ooit zou vinden. Hij schoof zijn gebroken been tegen het andere been en steunde met zijn gewicht op zijn armen. Hij ging langzaam de berg af naar beneden.

Het deed pijn en hij kwam maar langzaam vooruit. Dan stopte vaak om uit te rusten en riep om hulp. Het enige antwoord dat hij kreeg was de ijle echo van zijn eigen stem die weerkaatste tegen de wanden van de berg. Toen de zon onderging daalde de temperatuur. Het wordt 's nachts koud in de bergen en Dan wist dat als hij lang stopte hij waarschijnlijk bewusteloos zou raken. Het werd steeds zwaarder. Hij dwong, na elke korte pauze, zijn gekwelde lichaam zich weer voort te slepen met zijn pijnlijke handen. Deze vreselijke reis hield hij twaalf uur vol.

Tenslotte kon hij niet meer. Hij was uitgeput en kwam geen meter meer vooruit. Met zijn laatste kracht riep hij nog één keer om hulp.

Met verbazing hoorde hij toen een stem reageren. Een echte stem en geen spottende en lege echo. Het was de stem van de stiefzoon van Dan, mijn zoon Jeb. Hij en ik waren samen met de politie en reddingsploegen naar hem op zoek.

Even daarvoor, toen Dan niet was thuisgekomen, was ik ongerust geworden en had Mike gebeld. Die had hem eerst zelf gezocht door met zijn wagen van berg naar berg te rijden op zoek naar de auto van Dan. Uiteindelijk had hij de politie gebeld en Dan als vermist opgegeven.

Ik bleef kalm totdat Jeb zei dat hij Dans stem hoorde. Toen barstte ik in tranen uit, eindelijk in staat om de angst te voelen die ik al die tijd had verdrongen. Het duurde twee uur voordat het reddingsteam Daniel naar beneden kon brengen. Ze legden hem op een brancard en brachten hem naar het ziekenhuis. Toen ik hem daar zag moest ik opnieuw huilen. Ik vond de gedachte alleen al dat ik deze fantastische man had kunnen verliezen vreselijk. Ik bedaarde pas toen ik Dans armen om me heen voelde.

Ik zat naast het bed en keek naar het gezicht dat ik bijna had moeten missen, en Dan vertelde zijn verhaal. Direct nadat hij was gevallen en zich realiseerde hoe ernstig zijn letsel was, moest hij aan mij denken en hoe hij mij zou missen als hij het terug niet zou halen. Hij lag op een groot rotsblok en had om zich heen gezocht naar een scherpe steen. Die had hij gebruikt om een boodschap op de grote steen naast hem te krassen. Hij hoopte dat ik, in het ergste geval, eens die steen zou zien en dan zou weten dat ik altijd in zijn hart was geweest.

Opnieuw begon ik te huilen. Ik wist hoeveel ik van mijn

man hield, maar ik was niet voorbereid op zijn intense liefde voor mij.

Ergens ver weg op een beboste helling van de Laguna Canyon ligt een grote steen met een hart erop. In dit hart staan de woorden: Elizabeth, ik hou van jou.

Elizabeth Songster

Nieuwe schoenen

Gezegend is de invloed van de ene echt liefhebbende ziel op de ander.

George Eliot

Ik wist niet waar we naartoe gingen of wat we deden. We liepen gewoon. Ik dacht terug aan alles wat mijn man me had aangedaan. In die afgelopen jaren was ik geslagen, beschoten, gestoken en verkracht. Ik schraapte al mijn moed en kracht bijeen om hem te verlaten en ik nam mijn twee kleine dochtertjes, Kodie en Kadie, mee. Dit was onze derde week op straat. Ik probeerde een baan te vinden, maar ik kon geen dagopvang betalen. Ik wilde wel werken, maar wist niet waar de meisjes dan heen moesten. Ze waren zo klein, twee en vier jaar. Ik voelde me verloren.

Ik ging naar een paar plaatselijke opvanghuizen, maar die stuurden ons weg. Ik had vergeten de geboortebewijzen mee te nemen en ik ging voor geen goud terug naar dat huis. Geen sprake van!

De Kentucky Fried Chicken gooide kip weg die te lang in de oven had gelegen. Ik vroeg aan de manager of ik de kip voor mijn kinderen mocht hebben. Hij zei dat ik moest wachten totdat ze in de vuilnisbak lagen. Honger kent geen trots. Een caissière had ons gesprek gehoord en zei dat ze de kip voor ons boven op de vuilnisbak zou leggen. Ik bedankte haar. Op die manier hadden we een paar dagen gegeten.

Op een dag liep ik met de meisjes langs een pizzeria. Ik ging naar binnen om te vragen of ik een glas water mocht hebben voor de kleinste. Toen zag ik hem: gespierd, knap en

Italiaans. Hij was de mooiste man die ik ooit had gezien. Ik wist dat ik er vreselijk uitzag, maar hij glimlachte toch vriendelijk naar ons. Ik vroeg om het glas water en hij zei dat we maar even moesten gaan zitten, terwijl hij het haalde.

Hij bracht het en begon te praten over hoe moeilijk het is om kinderen groot te brengen in deze stad. Even later ging hij de telefoon beantwoorden en kwam terug met heerlijk eten, meer dan ik die hele afgelopen maand had gezien. Ik voelde me zo opgelaten. Ik vertelde dat ik het niet kon betalen. 'Het is van het huis. Alleen knappe dames zoals jullie krijgen deze behandeling,' zei hij. Ik dacht dat hij gek was.

We zaten er een tijdje en spraken over koetjes en kalfjes. Toen begon hij echter vragen te stellen waar ik nerveus van werd. 'Hoe kom je aan al die blauwe plekken op je gezicht? Waarom heb je geen jas aan?' Ik gaf zo kalm mogelijk antwoord en hij luisterde aandachtig. Toen pakte hij het voedsel in en stopte het in een zijvak van de wandelwagen. Ik waste de meisjes in de toiletten en probeerde mezelf wat op te knappen. Ik zag er vreselijk uit. We waren niet vies, maar haveloos. Ik bedankte hem en we gingen naar buiten. Hij zei dat we altijd terug konden komen, maar ik wilde geen misbruik maken van zijn goedheid. Het zou snel winter worden en er moest een definitieve oplossing voor het werk gevonden worden of een manier om naar familie in Georgia te gaan. We vertrokken om een plaatsje voor de nacht te zoeken.

We liepen wat doelloos rond. Toen spuugde de baby en ik pakte de servetten die ik de man bij het eten had zien stoppen. In de servetten zaten negen dollars opgerold. Misschien waren die er per ongeluk bij gekomen. Eén ding was zeker: ik kon ze niet houden. We draaiden om en liepen terug naar het restaurant.

Daar was hij weer. Ik vertelde hem over het geld en dat ik het hem wilde teruggeven. 'Ik heb het er expres tussen gestopt. Ik had jammer genoeg niet meer op zak,' zei hij vriendelijk.

Waarom deed hij dit? Mijn eerste gedachte was dat hij een engel was en ik stamelde een beschaamd 'Dankjewel'. 'Breng de meisjes morgen maar voor de lunch hierheen,' voegde hij eraantoe. Ik was sprakeloos. Waarom was hij zo aardig voor ons? Ik accepteerde zijn aanbod, want er was geen ander vooruitzicht. We namen afscheid en vertrokken weer.

Ongeveer halverwege de straat voelde ik dat we werden gevolgd. Ik werd nerveus, want ik had twee kinderen te beschermen. Snel doken we een steeg in en ik probeerde de baby stil te houden, maar ze was vastbesloten om lawaai te maken en niets hielp dus. Iemand kwam dichterbij en ik hield mijn adem in.

Het was de man van het restaurant.

'Ik weet dat je nergens heen kunt,' zei hij.

'Hoe weet je dat?' Mijn hart klopte in mijn keel. Zou hij mijn kinderen afnemen en ze overdragen aan de kinderbescherming?

'Dat komt door je schoenen.'

Ik keek naar beneden. Op mijn linnen schoenen waren kleine happy gezichtjes getekend, maar ze waren afgedragen. De stof zat vol gaten en de draden hingen erbij.

Ik bloosde. 'Ach, ik hou nou eenmaal van luchtige schoenen.'

'Zouden jullie vannacht niet warm onderdak willen waar je je kunt wassen?'

Ik twijfelde. Ik kende hem niet eens! Zijn bruine ogen mochten dan wel mijn hart sneller doen kloppen, maar dat was niet genoeg om met een vreemde naar huis te gaan.

'Bedankt, liever niet,' zei ik zachtjes.

Hij wees op het appartement boven ons hoofd.

'Als je van gedachte verandert, hoef je maar naar boven te komen en op de deur te kloppen.'

Ik bedankte hem nogmaals en keek hoe hij wegliep.

Het was tijd om een gerieflijk plekje voor de nacht te vinden, zo comfortabel als buiten slapen maar zijn kan. Ik zat naast de kinderwagen en zag boven ons een schaduw voor het raam. Hij was het en hij zat daar urenlang naar ons te kijken.

Uiteindelijk viel ik in een onrustige slaap. Ik was uitgeput door onze ontberingen en merkte niet dat het was gaan regenen. Ik had zelfs niet door dat hij voor ons stond. Het was drie uur 's nachts.

'Alsjeblieft, breng de meisjes boven. Ik wil niet dat iemand ziek wordt.'

'Ik kan het niet,' antwoordde ik.

'Goed dan,' zei hij vinnig. 'Dan blijf ik ook buiten.' En hij ging op de grond zitten.

Ik gaf het op: 'Het heeft geen zin dat we allemaal nat worden.' Hij mocht van mij de kinderwagen met kind omhoogdragen. Hij bood mij en de meisjes zijn bed aan en ging zelf op de bank slapen.

'Weet je het zeker?' vroeg ik timide.

'Ga nou maar slapen, oké?' En daarmee wenste hij me een goede nacht. Slapen kon ik echter niet. Niet dat ik bang was voor deze vriendelijke man, maar ik was... nerveus.

De volgende dag ging hij weg en kwam terug met nieuwe kleren en speelgoed voor de kinderen en voor mij nieuwe schoenen. Dat is nu zo'n zes jaar geleden. We zijn nog steeds samen en er zijn twee kleine jongens bijgekomen. Ik dank God dat hij Johnnie Trabucco zond. We hebben een vaste plek, een liefdevolle omgeving en er is geen pijn meer.

Kim Lonette Trabucco

‘Love me tender’

Het zwaarste jaar van je huwelijk is het huidige.

Franklin P. Jones

Het regent. Natuurlijk, waarom zou het ander weer zijn, op de vreselijkste dag van mijn leven?

Libby Dalton staarde uit het raam met de ellebogen op de tafel en haar kin op haar vuisten. Bliksem verlichtte de ramen waar de regen tegen aan kletterde en de stapels dozen wierpen spookachtige schaduwen op de kale muren.

Over een uur zouden ze hun huis en familie verlaten om in een godverlaten oord genaamd Levittown, in de staat New York, te gaan wonen.

Een maand geleden was Johnny hun appartement binnengestormd met het nieuws dat hem een baan was aangeboden. Dit was zijn kans om weg te komen uit Milford en echt leuk werk te doen. Hoe had ze hem duidelijk kunnen maken dat ze haar familie, haar thuis, haar leven niet wilde verlaten?

Elizabeth Jane Berens en John Dalton Jr., de blauwogige cheerleader en de knappe honkbalspeler, hadden op de middelbare school al verkering. Ze waren tot het koninklijke paar van hun jaar gekozen en in het jaarboek van Milford High School werden ze beschreven als het knapste stel.

Het waren de jaren vijftig, in een klein plaatsje in Amerika. Elvis Presley was de King en zijn nieuwste hit ‘Love me tender’ was net uitgebracht. Op het eindbal danste het knapste paar van Milford, verloren in elkaars armen, op ‘hun lied’. Johnny zong zachtjes de woorden mee in haar oor en Libby’s hart smolt.

'Oppassen. Je weet wat er met meisjes gebeurt die zich niet netjes gedragen,' waarschuwde haar moeder.

Libby was helemaal niet van plan om te worden zoals die meisjes waar anderen over fluisterden. Zij zouden wachten.

Maar op hun afstudeeravond, zonder iets tegen iemand te zeggen, gingen ze de staatsgrens over en trouwden bij een vrederechter. Ze konden niet langer wachten.

Aan de arm van haar echtgenoot toonde Libby trots haar trouwring aan de onthutste ouders. Die zagen hun dromen over sportbeurzen, universiteitsdiploma's, lange witte jurken met sluier in rook opgaan.

'Ben je zwanger?' vroeg haar moeder toen ze Libby even terzijde nam.

'Nee,' verzekerde Libby haar, pijnlijk getroffen door de vraag.

Eerst was het leuk, vadertje en moedertje spelen in hun piepkleine appartement. Ze konden maar niet genoeg van elkaar krijgen. Johnny werkte als fulltime monteur bij de plaatselijke garage en ging naar de technische avondschool om elektricien te worden. Libby serveerde in het plaatselijke restaurant. Het nieuwtje was er echter al snel af. Ze struikelden over elkaar in de kleine kamertjes. Ze droomden van en spaarden voor een eigen huis.

Het was nu een jaar later en Libby was vijf maanden zwanger. Ze was elke dag misselijk en had haar baan moeten opgeven. Schoolvrienden kwamen niet meer langs, omdat zij toch geen geld hadden voor dansavondjes en films. Ze hadden nu vaker woordenwisselingen dan dat ze lieve woordjes spraken, omdat ze zagen dat de plannen en hoop voor de toekomst verdwenen in de frustratie van geldgebrek. Libby bracht haar dagen, en later ook haar avonden, alleen door in het kleine appartement. Ze verdacht Johnny ervan dat hij aan de zwier was. Niemand werkt elke avond over.

Na een nieuwe aanval van ochtendmisselijkheid keek Libby in de spiegel naar haar opgezwollen lichaam en ongekamde haren.

Je kon het Johnny ook niet kwalijk nemen. Zo was er voor hem toch niets aan; een baby op komst, een dikke, lelijke vrouw en nooit geld.

Haar moeder was bezorgd over haar bleke gezicht en de donkere kringen onder haar ogen. 'Je moet goed voor jezelf zorgen, Libby. Denk aan je man, denk aan de baby.'

Libby dacht aan niets anders dan de baby, dat onpersoonlijke stuk vanbinnen dat haar figuur misvormde en waardoor ze altijd misselijk was.

Toen kwam Johnny dus met het nieuws van een andere baan in Levittown.

'We krijgen ook een bedrijfswoning. Het is klein, maar altijd beter dan deze troep,' zei hij met glanzende ogen.

Ze knikte alleen maar en keek snel een andere kant op, zodat hij niet zou zien dat ze huilde. Ze kon Milford niet verlaten.

Vandaag zou er niemand langskomen om gedag te zeggen. Dat was gisteren tijdens het afscheidsfeestje al gebeurd. Johnny nam de laatste doos mee en zij liep voor de laatste keer rond in hun eerste huis. Haar voetstappen klonken hol op de kale houten vloer. Het rook naar meubelwas. Ze herinnerde zich hun opgetogen stemmen toen ze deze vloer in de was zetten. Ze hadden gegiecheld en elkaar omver geduwd en elkaar bemind. Twee rommelige kamers die nu koud en leeg waren. Raar eigenlijk dat het zo snel onpersoonlijke blokkendoosjes werden alsof niemand er ooit had geleefd, of liefgehad. Ze sloot de deur voor de laatste keer en haastte zich naar de auto.

Het weer werd slechter onderweg, net zoals haar stemming.

'Het is een groot bedrijf. De Levitton fabriek... elektrische onderdelen... een kans om verder te komen...,' vertelde Johnny.

Ze knikte kort en staarde weer uit het raam. Hij gaf zijn poging om een gesprek te hebben op. Ze reden in stilte verder met alleen het regelmatige geluid van de ruitenwissers.

Het stopte met regenen en de zon brak door toen ze bij Levittown aankwamen.

Johnny keek omhoog: 'Dat is een goed teken.'

Ze knikte alleen maar.

Ze reden een paar keer verkeerd, voordat ze eindelijk bij hun nieuwe huis arriveerden. Libby keek ernstig naar de kleine blokkendoos te midden van identieke blokkendozen. Het leken wel de huizen van een monopolyspel die je op een gekochte straat mocht zetten.

'Ga je ooit nog lachen, Lib?'

Ze klom uit de wagen en schold op zichzelf. Word volwassen, Libby. Het is voor hem ook niet makkelijk.

Ze wilde wel zeggen dat het haar speet, maar de tranen sprongen in haar ogen en ze draaide zich om. Zonder een woord te zeggen droegen ze de dozen het huis in en zetten ze neer waar maar plaats was.

'Ga nou maar zitten, Libby. Ik doe de rest wel,' zei Johnny.

Ze ging op een doos zitten en staarde uit het raam. Het was in ieder geval met regenen gestopt.

Ze schrok op door een klop op de deur. Er stond een meisje van ongeveer haar leeftijd, duidelijk zwanger en met een bord koekjes. 'Welkom in de buurt. Ik ben Susan, maar iedereen noemt me Souie,' zei ze.

Ze gingen op de dozen zitten, aten koekjes en vergeleken de zwangerschap, misselijkheid en rugpijnen. Souie was over twee maanden uitgerekend, Libby over vier.

'Zal ik morgen terugkomen en je helpen met uitpakken?' bood Souie aan. 'Ik vind het heerlijk om met iemand te kunnen praten.'

Amen, dacht Libby.

Souie ging weg en Libby bekeek de kamers met nieuwe ogen. Misschien zouden blauwe gordijnen in de keuken leuk zijn...

Plotseling vloog de deur open en Johnny rende naar binnen. Hij begon snel een paar dozen te doorzoeken. Hij pakte er een kleine radio uit en deed de stekker in het stopcontact. Ineens was de stem van Elvis in hun keuken en hij zong 'hun lied'.

Dwars door de muziek heen hoorden ze de diskjockey zeggen: '...en het verzoek komt van een stel nieuwkomers in de stad. John en Libby Dalton, van harte gefeliciteerd met jullie trouwdag.'

Johnny had aan hun trouwdag gedacht en zij had het vergeten. De tranen stroomden over haar wangen en de muren van stilte en zelfmedelijden, die zij om zich heen had gebouwd, stortten in.

Hij trok haar tegen zich aan en weer hoorde zij zijn stem zachtjes en lief de woorden fluisteren.

Ze dansten samen tussen de kartonnen dozen, hielden elkaar vast alsof ze hun liefde voor de eerste keer ontdekten. De zon scheen binnen in hun nieuwe huis, in een nieuwe stad en voor het eerst voelde ze het nieuwe leven binnen in zich schoppen. Libby Dalton leerde de betekenis van liefde.

Jacklyn Lee Lindstrom

Bestaat de prins op het witte paard echt?

Echte vreugde ervaar je niet door veel geld te hebben of geëerd te worden, maar door iets waardevols te doen.

W.T. Grenfell

Heel veel meisjes groeien op met de gedachte dat de prins op het witte paard ergens rondrijdt en op het juiste moment hun leven binnen galoppeert, hen dan optilt en meeneemt uit de sombere wereld naar een van stralende huwelijkse gelukzaligheid.

Als die meisjes jonge vrouwen worden, komen ze er met een schok achter dat zij Assepoester of Sneeuwwitje zijn en dat hun prins op het witte paard eerder een lompenkoning is.

Marianne had als een Assepoester geleefd. Op haar achtste veegde ze al, voor één dollar, de vloeren van parkeergarages. Hiermee probeerde ze het dagelijks brood te verdienen voor haar kleine broertjes en zichzelf, terwijl haar moeder tegen haar psychische ziekte vocht. Marianne ontmoette haar prins op het witte paard toen ze net geen tiener meer was.

Ze was serveerster toen ze hem leerde kennen en ze vond hem boeiend. Hij was een musicus met een succesvolle band en hij keek haar met de grootste en liefste ogen aan toen hij haar voor het eerst zag. Waarom ook niet? Ze zag er net zo lief uit als Assepoester, blonde krullen, smaragdgroene ogen en een gezicht waaruit alleen onschuld en liefde spraken. Eigenlijk de uitdrukking van een tiener die onder de indruk is.

Marianne kon alleen maar denken: Hij houdt van mij. Hij houdt van mij.

Dat was toen ook zo. Vliegensvlug nam hij haar in zijn armen en droeg haar het huwelijk in. Voorzover Marianne wist was alles perfect. Ze had een mooi huis en vond het leuk om naar haar man te kijken als hij optrad. Voor de eerste keer in haar leven voelde ze zich geliefd en bewonderd. Ze was nu meer een Sneeuwwitje en ze was zwanger.

Ze wist niets van de andere vrouwen.

Het lot besliste op een ander gebied ook anders. Ze hadden niet alleen elkaar getrouwd, maar ook elkaars recessieve genen. Toen haar eerste zoon, Loren, werd geboren merkte Marianne dat er iets niet in orde was. Hij reageerde niet op geluid. Een jaar lang worstelde Marianne ermee en de dokters vertelden haar steeds dat er niets mis was.

Uiteindelijk verklaarde een specialist dat Loren doof was en dat er niets tegen gedaan kon worden. Ze had de eerste twee jaar van Lorens leven gehuild, terwijl ook haar man zei dat zijn zoon niets mankeerde.

De dokters verzekerden hun dat een volgend kind niet zo ongelukkig zou zijn, maar toen Lance werd geboren wisten ze al snel dat ook hij doof was.

De muren van hun toch al gespannen huwelijk, gebouwd op de fundamenten van een meisjesdroom, gingen scheuren vertonen. Ze stortten zelfs in toen Marianne kwaad werd, omdat haar echtgenoot weigerde met zijn zonen te communiceren.

Dat was haar taak, vond hij. Zij leerde de gebarentaal zo vlug mogelijk. Hij was er niet in geïnteresseerd. Als hij met de jongens sprak behandelde hij ze als honden. Hij klopte op hun hoofd en blafte een paar woorden.

Ze nam de kinderen mee naar haar schoonouders. Deze negeerden de kinderen.

Als ze met haar zoons ging winkelen en haar zoons maakten grommende geluiden, dan staarden winkelbediendes hen aan. En ze wist het nu ook van de andere vrouwen. Haar echtgenoot nam soms niet eens de moeite om thuis te komen. Vrienden belden niet meer en ze voelde een schrijnende eenzaamheid.

De druk en eenzaamheid begonnen hun tol te eisen van Marianne. Ze dronk alcohol als water. Ze gaf de kinderen eten en stopte ze in bed, maar ging het huis niet meer uit. Ze dacht erover om haar polsen door te snijden.

'Stel je voor dat al je vrienden en familie absoluut geen moeite doen om te communiceren met je kinderen en gebarentaal hoef je daar niet voor te kennen. Vriendelijkheid is ook een manier van communiceren. Dat begrijpen we allemaal. Als je zo'n kind ziet reageer dan niet geshockeerd. Staar het niet aan om vervolgens weg te lopen. De boodschap die het kind dan krijgt is: "Getsie, wat ben jij een engerd." Nee, geef zo'n kind je hand en glimlach,' legde Marianne later uit.

Glimlachen, knuffels en kusjes hielden Marianne in leven. De ogen van Loren en Lance straalden van bewondering en liefde, echte liefde. Het soort liefde dat Marianne nog nooit in haar leven had ervaren.

Ze wist dat ze haar eigen leven kon vergooien aan de alcohol en paniekaanvallen, maar dat ze het leven van haar zoons niet wilde verspillen. Ze vocht en ging terug naar school om haar middelbareschooldiploma te halen. Ze kreeg een baan bij een verzekeringskantoor en spaarde haar geld op.

Hoe beter ze zichzelf voelde des te trotser werd ze op Lance en Loren. Ze nam ze mee naar haar collega's, die hen overspoelden met vriendelijkheid. De tijd was aangebroken om met haar jongens hun huis te verlaten, de band met de vader te verbreken en verder te gaan met hun eigen leven.

Op een dag kwamen haar zoontjes met haar mee naar het werk en toen ze op een zeker moment de kamer van de manager, Eric, binnenliep zat Loren op zijn knie. Eric keek haar aan en zei: 'Ik voel me zo stom. Ik zou graag met je zoon spreken. Weet jij waar ik gebarentaal zou kunnen leren?' Door die simpele woorden die hij sprak leek het Marianne of de hemel op aarde was gekomen.

Ze dacht even dat ze zou flauwvallen. Nog nooit had iemand gevraagd of ze konden leren communiceren met haar zoontjes. Ze trilde helemaal toen ze aan Eric uitlegde dat, als hij echt geïnteresseerd was, ze wel een adres wist. Eigenlijk durfde ze hem niet te geloven, maar toen hij haar na een paar lessen gedag zei in gebarentaal wist ze het zeker.

Als de jongens er waren nam hij ze mee voor lange wandelingen op de pier, vlak bij hun kantoor. Ze ging vaak mee en zag dat Eric heel goed werd in gebarentaal en met haar zoons sprak en lachte zoals nog nooit iemand had gedaan.

En iedere keer als haar zoons Eric zagen straalden ze als de zon en sterren aan de hemel. Ze had ze nog nooit zo gelukkig gezien. Haar hart bonsde en haar maag kneep samen. Ze was verliefd geworden.

Ze wist niet of Eric hetzelfde voelde tot ze op een avond een wandeling maakte over de pier. Hij gaf haar in gebarentaal te kennen dat hij van haar hield en met haar wilde trouwen. Haar hart bonsde nu van vreugde.

Het stel verhuisde naar een klein plaatsje en opende hun eigen verzekeringskantoor. Ze kregen nog twee kinderen, Casey en Katie, beiden niet doof, maar die konden voor ze vijf jaar oud waren al in gebarentaal spreken.

In deze gelukkigste tijd van haar leven werd Marianne dikwijls midden in de nacht wakker, met een brandende pijn in haar oren en ze moest dan vreselijk huilen. Er was geen verklaring voor haar gedrag, omdat ze zich niet kon herinneren zich ooit zo gelukkig en geliefd te hebben gevoeld.

Eric streelde haar haar en pakte zachtjes haar kin als hij vroeg wat er aan de hand was. Ze kon dan alleen maar antwoordden: 'Ik weet het niet. Ik weet het niet.' Hij hield haar dan lang vast. Dit duurde al weken en Marianne werd nog steeds huilend wakker.

Op een nacht werd ze als door de bliksem getroffen wakker en wist het antwoord.

Ze vertelde Eric, haar ridder op het witte paard, dat ze niet genoeg deed om de dove kinderen in de wereld te helpen. Ze behoorde ze te helpen bij het vinden van een plaatsje in de maatschappij. Ze moest de wereld leren hoe met dove kinderen te communiceren.

Eric sloot haar in zijn armen en zei: 'Laten we het doen.'

Samen zetten ze de organisatie 'Hands Across America – It Starts with you' op. Het is een organisatie die het gebruik van gebarentaal bevordert en ze maakt educatieve video's voor doven en horende kinderen.

Als je ooit de kans krijgt om Marianne te spreken en haar

vraagt naar de waarheid van de sprookjes over Assepoester en Sneeuwwitje, vertelt ze ongetwijfeld dat ze veel van deze verhalen heeft geleerd in haar leven.

Ze zal zeggen: 'Er zijn veel lompenkoningen en een paar ridders op het witte paard, maar er zijn nog veel meer Assepoesters.'

Diana Chapman

6

Over familie

De enige manier om eeuwig te leven is iemand lief te hebben, pas dan laat je echt iets achter.

Bernie Siegel, M.D.

Een legende van liefde

Als liefde niet weet wat geven en nemen is, is het geen liefde maar een transactie.

Emma Goldman

Edward Wellman nam afscheid van zijn familie in het oude land en ging op weg naar een beter leven in Amerika. Zijn vader gaf hem het spaargeld van de familie dat was verstopt in een leren zak. 'Het zijn slechte tijden hier. Jij bent onze hoop,' zei hij en omhelsde zijn zoon. Edward ging aan boord van een stoomvrachtboot waarop jonge mannen de overtocht van een maand maakten, in ruil voor het scheppen van kolen. Als Edward goud vond in de mijn op de gepachte grond in de bergen van Colorado, zou de rest van de familie eventueel volgen.

Maandenlang werkte Edward zonder ophouden en een kleine goudader verschafte hem een bescheiden, maar regelmatig inkomen. Als hij na een dag werken zijn tweekamerhut binnenstapte verlangde hij naar de begroeting van de vrouw van wie hij hield. Het achterlaten van Ingrid voordat hij haar officieel het hof kon maken, was het enige van dit Amerikaanse avontuur waar hij spijt van had. Hun families waren al zolang hij zich kon herinneren bevriend en hij had stiekem gehoopt dat hij ooit met Ingrid zou trouwen. Met haar lange golvende haar en haar stralende lach was zij de mooiste van de gezusters Henderson. Hij was naast haar gaan zitten tijdens de door de kerk georganiseerde picknicks en verzon dwaze redenen om maar bij haar thuis te komen en haar te zien. Iedere avond in zijn hut verlangde hij ernaar haar kastanjebruine haar te strelen en haar in zijn armen te sluiten. Hij schreef zijn vader en vroeg hem te helpen zijn droom te verwerkelijken.

Ongeveer een jaar later kwam er een telegram met een boodschap die hem gelukkig maakte. Meneer Henderson gaf toestemming aan zijn dochter om naar Edward in Amerika te gaan. Ze was een hard werkende jonge vrouw met gevoel voor zaken en ze zou een jaar lang Edward helpen met zijn zaken rond de mijn. Tegen die tijd konden beide families hun overtocht naar Amerika, voor de bruiloft, betalen.

Edwards hart klopte in zijn keel en hij was die hele maand druk in de weer met de hut in een thuis te veranderen. Hij kocht voor zichzelf een ledikant, zodat hij in de woonkamer kon slapen. Zijn slaapkamer probeerde hij geschikt te maken voor een vrouw. Meelzakken met een bloemenmotief vervingen de jutezakken voor de vieze ramen. Hij schikte gedroogde salie in een tinnen vaas op het nachtkastje.

Toen was de dag aangebroken waarop hij zijn leven lang had gewacht. Met een boeket versgeplukte madeliefjes in zijn hand vertrok hij naar het treinstation. Er waren dikke wolken stoom en piepende wielen toen de trein tot stilstand kwam. Edward ging met zijn ogen alle raampjes af om Ingrids golvende haar en glimlach te zien.

Zijn hart ging tekeer in afwachting van zijn droomvrouw. Toen stond het even stil. Het was niet Ingrid maar haar oudere zuster Marta die uit de trein stapte. Verlegen stond ze voor hem, haar ogen neergeslagen.

Edward kon alleen maar stilzwijgend staren. Daarna schudden ze elkaar de hand en hij bood Marta de bloemen aan. 'Welkom,' fluisterde hij en in zijn ogen brandden de tranen. Een glimlach kwam op haar alledaagse gezicht.

'Ik was blij toen papa vertelde dat jij vroeg of ik kwam,' zei Marta en ze keek hem kort in de ogen, voordat ze haar hoofd weer boog.

'Ik zal je koffers pakken.' Edward probeerde te glimlachen en samen liepen ze naar de wagen.

Meneer Henderson en zijn vader hadden gelijk gehad

toen ze zeiden dat Marta een goede zakenvrouw was. Edward werkte in de mijn en zij deed het administratieve werk. Op haar tijdelijke bureau in een hoek van de kamer hield zij alle activiteiten nauwkeurig bij. Binnen zes maanden verdubbelde hun bezit.

Heerlijke maaltijden, een stille glimlach en de hut leek betoverd door haar vrouwenhand. De verkeerde vrouw, dacht Edward bedroefd als hij 's avonds vermoeid in zijn bed stapte. Waarom hebben ze Marta gestuurd? Zou ik Ingrid ooit nog zien? Zou zijn levenslange droom haar als zijn vrouw te hebben nooit uitkomen?

Een jaar lang werkten, speelden en lachten Marta en Edward, maar ze beminden elkaar nooit. Eén keer had Marta Edward op zijn wang gezoend voordat ze 's avonds naar haar kamer ging. Hij had alleen maar wat geglimlacht. Vanaf dat moment leek zij tevreden met hun vrolijke wandeltochten door de bergen en lange gesprekken op de veranda na het avondeten.

Op een middag in het voorjaar regende het onophoudelijk, het water stroomde de berg af en dreigde de ingang van de mijn dicht te spoelen. Edward deed verwoede pogingen om het water met zandzakken tegen te houden. Hij was doorweekt en uitgeput en al zijn inspanningen leken voor niets te zijn geweest. Plotseling stond Marta naast hem en hield een jutezak open. Hij schepte het zand erin en met de kracht van een man gooide Marta de zak op de andere en hield een volgende open. Urenlang stonden ze tot hun knieën in de blubber, totdat het minder ging regenen. Hand in hand liepen ze naar de hut terug. Bij een kop warme soep zei Edward: 'Ik zou de mijn niet in mijn eentje hebben kunnen redden. Dankjewel, Marta.'

'Graag gedaan,' antwoordde ze met haar gewoonlijke glimlach en liep de kamer uit.

Een paar dagen later kwam het telegram dat de familie Henderson en Wellman de volgende week zouden komen. Hoe hij het ook probeerde te onderdrukken, Edwards bloed stroomde, als vanouds, sneller door zijn aderen bij de gedachte aan Ingrid.

Samen met Marta liep hij naar het treinstation en ze zagen hun families aan de andere kant van het perron uit de trein stappen. Toen Ingrid uitstapte draaide Marta zich om naar Edward en zei: 'Ga naar haar toe.'

Verbaasd stamelde Edward: 'Wat bedoel je?'

'Edward, ik heb altijd geweten dat ik niet het meisje van Henderson ben, dat jij bedoelde. Ik heb je zien flirten met Ingrid tijdens de picknicks van de kerk.' Ze knikte in de richting van Ingrid. 'Ik weet dat zij het is die jij tot jouw vrouw wil maken en niet ik.'

'Maar...'

Marta legde haar vingers op zijn lippen. 'Ssss. Ik hou van je, Edward. Dat heb ik altijd al gedaan. En daarom wil ik dat jij gelukkig wordt. Ga naar haar toe.'

Hij nam haar hand van zijn gezicht en hield hem vast. Toen zij naar hem opkeek zag hij voor het eerst hoe mooi ze was. Hij dacht aan hun wandelingen door de weilanden, hun stille avonden voor het vuur en hoe zij naast hem stond bij de zandzakken. Pas toen besefte hij wat hij al maanden wist.

'Nee, Marta. Ik wil jou.' Hij nam haar in zijn armen en kuste haar vurig. Om hen heen stond hun familie en die zeiden in koor: 'We zijn er voor de bruiloft!'

LeAnn Thieman

Familie

Met de snelweg voor ons en thuis achter ons vertrokken de fotograaf en ik voor een opdracht van drie dagen voor de krant.

We waren op weg naar de Columbia Gorge; daar waar de Columbiarivier een kilometers breed pad tussen de staten Washington en Oregon vormt; waar windsurfers dansen op de golven die ontstaan door valwinden; waar ik ver weg van mijn negen tot vijf-wereld zou zijn. Een wereld vol deadlines, routine en boodschappen, kinderen die naar honkbaltraining gebracht moeten worden en waar je er zeker van moet zijn dat je sokken niet op de slaapkamervloer blijven slingeren. Ver weg van het V-woord: verantwoordelijkheid.

Eerlijk gezegd hadden we elkaar niet op een leuke manier gedag gezegd. De energie was bijna op in ons gezin. De auto uit '81 vertoonde tekenen van een automobiele vorm van Alzheimer. We waren allemaal moe, humeurig en probeerden niet verkouden te worden. Mijn achtjarige zoon probeerde ons nog wel op te vrolijken met zijn valsgezongen versie van een liedje uit een musical. Het mocht niet baten.

Ik was druk met de voorbereiding van de reis; mijn vrouw Sally ergerde zich aan het feit dat mijn drie dagen vrijheid haar drie dagen extra verantwoordelijkheid zouden geven.

'Papa, kom je donderdagavond luisteren naar mijn klasse-optreden?' Jason, mijn achtjarige zoon, vroeg dit midden in de chaos van mijn vertrek. Als ik Bill Cosby was geweest, had ik met een grappige uitdrukking op mijn gezicht gezegd: 'Ja, natuurlijk.' En iedereen leefde nog lang en gelukkig, althans voor een halfuur. Maar ik voelde me die ochtend geen Bill Cosby.

'Nee, Jason. Ik ben er niet, ik ben de stad uit. Sorry,' zei ik. Ik gaf Sally een snelle zoen en weg was ik.

Nu, uren later, was ik ver weg van mijn gezin, vrij van de rommel, loopneuzen en andere inbreuk op mijn tijd. De fotograaf en ik hadden elkaar nog niet eerder ontmoet en we gebruikten de reistijd voor onze kennismaking. Hij was ongeveer van mijn leeftijd, midden dertig. Hij was getrouwd, maar had geen kinderen. Zijn vrouw en hij hadden te vaak gezien hoe echtparen met kinderen zichzelf gevangen zagen in het organiseren van oppassen en gedwongen waren spontane reizen op te geven. Hij vertelde dat ze bijvoorbeeld onlangs nog samen een tocht naar de Gorge hadden gemaakt. Ik moest diep graven in mijn gedachten. Wat was dat ook alweer: samen?

Ik herinnerde me die vrijheid vaag. Weggaan als je zin hebt, geen gezeur over ezelstochtjes als jij net zin hebt om in te storten, geen slaapkamers waar wervelwinden doorheen jagen. Naast het niet hebben van kinderen had de fotograaf ook geen zes maanden oude frietjes op de vloer van zijn wagen liggen, geen Superman-benen op zijn dashboard en er zaten geen chocoladevegen op zijn wegenkaart in zijn dashboardkastje. Wat had ik verkeerd gedaan?

Ondanks de voortdurende dreiging van regen gingen we de Gorge bezichtigen. Basaltwanden van honderden meters hoog aan beide zijden van de Columbiarivier, fluorescerende windsurfers, die als vuurvliegjes het water doorkliefden. Niet alleen het land en het water fascineerden, deze surfers ook.

Er waren er duizenden, bijna allemaal van de naoorlogse generatie, de zogenaamde babyboomers. Zij brachten hun dagen op het water door, hun nachten in de stad en hun ochtenden in bed. Eén op de vier auto's had een surfplank op het dak. Aan de nummerplaten te zien kwamen ze uit het hele land.

Sommigen van deze surfers waren vrije windgeesten, zij leefden in hun campers, anderen waren yuppies die hier een weekend of een vakantie doorbrachten. 's Avonds veranderde het centrum in de plaatselijke versie van de strandsteden in Californië. Ze aten, dronken en waren vrolijk in een wereld van frivoliteit en vrijheid.

Het was alsof ik een oude, verloren gewaande bevolkingsgroep ontdekte. Terwijl ik dus de gebroken fietskettingen repareer, staan deze mensen op een of andere beat te dansen? Terwijl ik de cheques uitschrijf voor boodschappen, consulten van de orthodontist en studiespaarrekeningen, besluiten deze mensen wat voor kleur surfplank ze zullen kopen? Wat had ik verkeerd gedaan?

Op onze laatste avond was het nog steeds zwaarbewolkt. Dit verveelde de fotograaf en weerspiegelde mijn stemming. We hadden allebei wat zon nodig, alleen om verschillende redenen.

Toen ik uit het raam van het hotel keek naar de rivier beneden, voelde ik me leeg, alsof ik er niet bij hoorde. Niet hier. Niet thuis. Nergens. Net zoals de wind in de Gorge het water witte koppen gaf, zo beukte de wind van vrijheid tegen mijn overtuiging aan. Trouw. Huwelijk. Kinderen. Werk. Ik had mijn leven daaraan verankerd en nu voelde ik mij wegdrijven van die vaste positie. Had ik een fout gemaakt? Had ik me overgeleverd aan de verschrikkingen van verantwoordelijkheid? Zou ik op een dag, als ik oud was, plotseling de bittere realiteit van spijt voelen dat ik niet voor de wind had gekozen?

Ik wilde net naar bed gaan toen ik een kaart in mijn koffer zag zitten, verstopt tussen wat kleren. Hij was van Sally. Op de kaart stonden koeien, mijn vrouw is gek op runderen, en er stond op geschreven: Ik hou van je tot een koe een haas vangt.

Ik keek een paar minuten naar de kaart en herhaalde de woorden. Ik zag hetzelfde handschrift als op de liefdesbrieven aan de universiteit, op de huwelijksakte en op de twee geboortecertificaten en het testament.

De receptie hoefde mij de volgende ochtend niet te wekken, ik was al wakker. De kaart had mij door mijn ziel gesneden, veroordeelde mijn egoïstische geweten en stelde mijn blik weer scherp. Ik wist precies waar ik heen wilde.

De volgende dag, na een twee uur durend interview, een zes uur durende rit en een sprint van drie straten kwam ik buiten adem aan op de school van mijn zoontje. Het zingen was twintig minuten daarvoor begonnen. Had ik Jasons lied gemist? Ik rende de aula in. Als een razende baande ik me een weg door de menigte ouders die voor de ingang stond, naar een plek waar ik een glimp van de kinderen op het toneel kon opvangen.

Toen pas hoorde ik hen: vijfentwintig lagereschoolstemmen die vreselijk hun best deden te zingen alsof ze vijf jaar jaar ouder waren. Met mijn ogen zocht ik Jason in deze collage van kinderen. Daar zag ik hem. Als altijd op de eerste rij tussen een paar meisjes, van wie de bacteriën over hem heen kropen, als je de uitdrukking op zijn gezicht mocht geloven.

Hij zong wel, maar nog minder enthousiast dan wanneer hij zijn kamer opruimde. Plotseling zagen zijn ogen de mijne en zijn gezicht klaarde op en hij lachte naar me zoals kinderen doen als ze ineens hun vader in het publiek ontdekken. Hij had me gezien en dat moment blijft gegrift in mijn geheugen.

Later zag ik in de zee van gezichten die van Sally en onze andere zoon. Na het optreden te midden van de massa ouders met kinderen kwamen we bij elkaar en vergaten de drukte om ons heen.

Ik voelde nu geen leegheid meer, alleen maar verbondenheid met mijn gezin, mijn familie. Hoe kon een man zo gezegend zijn?

De volgende dagen was ik weer de fietsenmaker en broodwinner, de echtgenoot en vader. Surfers zouden geeuwen bij deze rol.

Maar boven de spanning van het spelen met de wind zal ik altijd de glimlach van mijn achtjarige zoon op de eerste rij verkiezen.

En boven alle vrijheid van het leven in de Gorge, verkies ik de verantwoordelijkheid van het zorgen voor de vrouw die belooft bij me te blijven tot een koe een haas vangt.

Bob Welch

Iemand om te hebben

Als ik kan voorkomen dat één hart breekt, heb ik niet voor niets geleefd.

Emily Dickinson

Iedere moeder ziet haar dochter het liefst gelukkig en geliefd. En iedere dochter wil nog lang en gelukkig leven. Het was daarom een hard gelag voor mijn dochter Jackie en mij toen zij een alleenstaande moeder werd. We moesten er allebei aan wennen dat haar leven niet zo zou verlopen als wij gedroomd hadden.

Alsof dat al niet erg genoeg was, besloot Jackie met haar twee jaar oude zoon Kristopher te verhuizen, in de hoop een nieuw leven te kunnen beginnen. Ik wist dat dit een goede beslissing was, hoewel we na deze verhuizing kilometers uit elkaar zouden wonen en ik haar en Kristopher erg zou missen.

Jackie was verpleegster en ze vond avondwerk in het plaatselijk ziekenhuis. Ze kreeg zelfs een relatie met een jonge man. 'Hij is fantastisch, mama,' vertelde ze. Dat klonk goed, maar ik bleef toch sceptisch. Wat wilde die man van mijn dochter? Zou hij haar zoon accepteren? Zou hij haar vriendelijk en lief behandelen of haar nog meer pijn doen? Ik probeerde deze vragen uit mijn hoofd te zetten, maar ze kwamen steeds weer boven.

Toen gebeurde waar elke ouder en grootouder bang voor is: kleine Kristopher werd ernstig ziek. Hij huilde en klaagde dat zijn been pijn deed als hij werd gedragen of aangeraakt. Na een paar spannende dagen vertelden de artsen dat het osteomyelitis was, een infectie van de beenderen en het was riskant. De infectie leek zich te verspreiden en Kristopher moest meteen naar het ziekenhuis voor een operatie.

Na de operatie werd hij teruggebracht naar zijn kamer en aangesloten op een infuus. Slangen liepen in en uit zijn heup om het bedreigde gebied te draineren. Ondanks vocht en antibiotica bleef hij een hoge temperatuur houden. Kristopher verloor veel gewicht, had geen eetlust en werd een zielig klein ventje.

Volgens de artsen was er nog een operatie noodzakelijk en weer moest zijn kleine lijf de pijnlijke procedures ondergaan. Daarna lag Kristopher in zijn bedje verbonden aan zoveel slangen dat hij niet kon bewegen, worden opgetild of vastgehouden door zijn moeders armen.

Iedere avond als Jackie dienst had reed ik naar Kristopher toe. Ik kon maar een paar uur blijven omdat het me weer een paar uur kostte voordat ik thuis was. En iedere keer als ik aanstalten maakte om weg te gaan huilde Kristopher: 'Niet weggaan oma, alsjeblieft. Als je weggaat heb ik niemand meer om te hebben.' Iedere keer brak mijn hart als ik zijn woorden hoorde. Maar ik moest weg en vertelde hem dat ik van hem hield en beloofde hem dat ik snel weer terug zou komen.

Op een avond liep ik naar mijn kleinzoons kamer en hoorde ik iemand met hem praten. Het was een mannenstem. Ik kwam dichterbij en kon de stem nu duidelijk verstaan. Hij klonk vriendelijk en troostte Kristopher. Wie sprak op zo'n manier met mijn kleinzoon?

Ik kwam de kamer in en was ontroerd door wat ik zag.

In het bedje lag de jonge man over wie mijn dochter al die tijd had verteld. Met zijn 1,85 meter had hij zich zo klein gemaakt dat hij bij het kind in het bedje paste. Zijn brede rug drukte tegen het hek van het bed. Zijn lange armen had hij om Kristopher heengeslagen als om het waardevolle bundeltje te beschermen.

De jonge man keek op en zei zachtjes met een warme glimlach: 'Kindjes moeten vastgehouden worden en omdat ik hem niet uit zijn bedje mag halen, ben ik er maar bij gekropen en hou hem vast.'

Tranen van geluk stonden in mijn ogen. Ik wist dat mijn gebeden waren verhoord. Mijn dochter had een man met een groot hart gevonden. En Kristopher had wat hij wilde, hij 'had iemand om te hebben'.

Kristopher is nu twintig jaar en compleet hersteld. De leuke jonge man van mijn dochter, John, is de beste stiefvader geworden die een jongen zich maar wensen kan.

Maxime M. Davis

Foto's nemen

Ik koester voor eeuwig de herinnering aan die zaterdag met mijn zoon, april 1997. Torey was vijf jaar oud en begon net te wennen aan de nieuwe situatie sinds mijn scheiding van zijn moeder. Het was een relatief kalm proces geweest waarbij ieder zijn eigen kant opging en niets moest worden bevochten. Ik had nu meer tijd om leuke dingen te doen met Torey. Ik zag hem doordeweeks als ik van tevoren belde en iedere veertien dagen was hij een weekend bij mij. Ik wil niet zeggen dat het leven perfect was, maar ik besefte dat het veel slechter kon. Het enige waar ik me zorgen over maakte was dat Torey door de scheiding op een bepaalde manier beïnvloed zou worden en zou denken dat gelukkige huwelijken niet mogelijk waren. Dat leek me vreselijk.

Die vrijdagmiddag pikte ik Torey op van school. Ik vertelde dat ik die volgende dag een verrassing had, maar dat ik niet meer zou zeggen. Natuurlijk was hij brandend nieuwsgierig en smeekte me om aanwijzingen. Uiteindelijk vertelde ik hem dat we ergens heen gingen en dat ik niets meer zou verraden. Natuurlijk begon hij toen te raden, zoals kinderen doen: het park, de speeltuin, het strand, etc. Hij dacht zelfs dat we naar zijn grootouders gingen die naar Miami waren verhuisd, of naar zijn beste vriend, Trenton Stimes, die vorig jaar naar Californië was gegaan.

Toen hij met vragen stellen niet verder kwam begon hij zielig te doen. Ik vertelde het hem bijna, maar in plaats daarvan gaf ik hem nog één laatste hint. Hij moest zijn polaroidcamera meenemen, omdat hij veel foto's zou willen nemen. Dat stelde hem een beetje tevreden.

Misschien dacht hij: 'Als mijn vader het waard vindt om foto's te nemen van die plek, dan zal het wel leuk zijn.' Misschien vond hij het gewoon leuk om zijn nieuwe camera te gebruiken. Hoe dan ook, om acht uur precies was hij startklaar. Hij vroeg zelfs niet meer waar we heengingen. Hij had de riem van de fototas over zijn schouder en jaagde me op. Hij wilde er erg graag heen, waar het ook was.

In de auto keek ik steeds achterom, zodat ik zijn ogen kon zien als hij het bord las waarop stond: Lowry Dierentuin. Torey was nog nooit in een dierentuin geweest, maar hij had het er vaak over. Zijn opwinding was prachtig. Het was nog mooier dan hem zijn kerstcadeautjes zien uitpakken of toen we hem zijn hondje, Snoop, gaven.

Er stond een kleine rij voor de ingang van de dierentuin en Torey was ongeduldig. Hij stapte uit de rij om alles te zien. Ik keek naar voren en zag dat het oponthoud werd veroorzaakt door een ouder echtpaar dat heel langzaam liep. Ze wandelden zij aan zij, hand in hand en hielden de reling vast met de andere hand waardoor je ze niet kon passeren.

Ik was bang dat Torey iets zou zeggen over het oudere echtpaar dat ons allemaal in verlegenheid zou brengen. Ik begon met hem over de dieren te spreken om hem bezig te houden. Al snel was hij heel verdiept in de beesten en rende van de ene verblijfplaats naar de andere. Ergens bij de orang-oetang dacht hij aan zijn camera.

'Papa. Ik moet nog foto's nemen. Help je me?'

Ik deed de schouderband af en opende de tas en nam de camera eruit. Toen pas kwamen we erachter dat er nog maar één foto op het rolletje zat en dat we geen nieuw rolletje bij ons hadden. Ik legde Torey uit dat hij eerst naar alle dieren moest kijken en dan pas moest besluiten waarvan hij een foto wilde.

Eerst vond hij het niet zo leuk, maar het feit dat hij er was bleek toch belangrijker en hij concentreerde zich weer op de dieren. Nadat we het hele terrein hadden rondgelopen, gingen we wat drinken bij het restaurant.

Ik vroeg Torey of hij al wist wat hij wilde fotograferen.

Hij knikte en zei: 'O ja! Mag ik die foto nu gaan maken?'

Ik vroeg wat het zou worden, maar hij lachte verlegen en vertelde me het niet. Ik dacht dat hij me terug wilde pakken omdat ik het uitje ook niet wilde verklappen, dus zei ik hem dat hij zijn foto kon gaan maken, zolang ik hem maar kon zien.

Hij wees naar een plek dicht bij de chimpansees en vroeg: 'Mag ik daarheen gaan?'

Ik knikte en keek argwanend omdat ik wist dat hij iets in zijn schild voerde. De chimpansees stonden niet op zijn lijstje van favorieten. Torey rende naar de plek die hij had aangewezen en keek om voor mijn goedkeuring. Ik knikte nogmaals.

Ik zag hoe hij zijn toestel omhooghield en de foto nam, maar ik kon niet zien waar hij op richtte omdat er een groepje mensen voor stond. Hij rende weer terug met de camera terwijl de foto nog werd afgedrukt. Hij wilde me hem eerst niet laten zien, maar wist ook dat hij dat niet eeuwig zou kunnen volhouden en overhandigde de foto toen ter inspectie.

Mijn mond viel open van verbazing toen ik zag dat hij het oudere echtpaar, dat we gezien hadden bij de ingang, had gefotografeerd. Ze hadden hun arm om elkaar heen en lachten naar Torey.

'Goed hè? Ze zijn vandaag vijfenvijftig jaar getrouwd en ze zijn nog steeds verliefd. Ik hoorde het ze zelf zeggen,' sprak Torey trots.

Op dat moment wist ik, misschien voor het eerst sinds de scheiding, dat alles goed zou komen. Ik wist dat Torey begreep dat zijn moeder en ik nooit onze vijfenvijftigste trouwdag zullen vieren, maar dat we voor hem allebei heel speciaal zijn.

Ik wist ook dat, hoewel hij pas vijf was, Torey begreep dat deze mensen die al zolang bij elkaar waren wel heel erg speciaal waren. Bijzonder genoeg voor een foto. Torey had besloten van dit uitje het beeld van ware en eeuwige liefde te onthouden.

Ken Grote

De knipoog

In een huwelijk ben je niet de echtgenoot of de echtgenote; je bent de liefde tussen twee mensen.

Nisargadatta

Niet zo lang geleden bekende mijn man, al dertien jaar mijn echtgenoot, dat hij zich vlak voor het trouwen bijna had bedacht. De middag voor het huwelijk moest hij iets wegbrengen naar de zaak, waar onze receptie zou worden gehouden. Mijn ouders waren er al. Moeder, bekend om haar kooktalent, had het maken van een eenvoudig, maar heerlijk maal voor niet minder dan honderd vijftig gasten op zich genomen. Toen mijn aanstaande man binnenkwam zag hij mijn vader rustig zitten bij de keukendeur en hoorde mijn moeder tegen hem razen en tieren. Mijn vader zat gewoon terwijl mijn moeder haar grieven één voor één spuide tegen hem. Alles, van het missen van een pot augurken tot de te dun gesneden ham was zijn fout.

Degene die mijn ouders kenden, weten dat zij een ietwat merkwaardig huwelijk hadden. In alle eerlijkheid zullen ze zeggen dat mijn moeder een haaibaai was en mijn vader een pantoffelheld.

Ik was hun enig kind en zij noemden mij de baby die hun leven had veranderd. Jarenlang was ik getuige van hun eigenaardige relatie. Toen ik werd geboren waren ze al meer dan twintig jaar getrouwd. Ik herinner me dat ik me wel eens afvroeg of andere ouders ook zo waren. Ik werd ouder en ging andere relaties bestuderen. Hoe meer ik dat deed, des te vaker vroeg ik mezelf af waarom mijn ouders in godsnaam met elkaar waren getrouwd en bij elkaar bleven, terwijl scheiden net zo gewoon was als je olie vervangen in je auto.

Toen ik zestien was werd mijn moeder, een diabeet, ernstig ziek en moest bijna tien dagen in het ziekenhuis doorbrengen. Op een middag kwam ik thuis van mijn parttime baantje. Mijn vader zat aan de keukentafel en speelde patience. Om de paar minuten keek hij naar de klok. Hij had nog geen avondeten gehad, waarschijnlijk omdat het zetten van koffie de grens van zijn kookkunst was. Ik kookte een warme maaltijd en hij speelde verder. De telefoon ging en ik nam hem in de woonkamer op.

'Hallo, schatje.'

'Hoi, mam. Voel je je al wat beter dan vanochtend?'

'Veel beter. Is je vader thuis of is hij al weg?'

'Nee, die is er nog.'

'Heeft hij iets te eten gehaald? Ik heb hem naar huis gestuurd. Hij moet wat rusten, hij ziet er zo moe uit. Ik zei dat hij onderweg maar een hamburger of zoiets moest halen. Het eten in het ziekenhuis is vreselijk. Je vader hoeft dat spul niet te eten. Het is al erg genoeg dat ik het moet. Ik zei hem ook dat hij pas na zessen terug mocht komen.'

'Hij heeft, denk ik, niets te eten gehaald, maar ik heb net wat te eten gemaakt.'

'Dat is goed. Ik moet nu gaan. Ze willen wat bloed afnemen. Tot morgen.'

Ik ging terug naar de keuken om op te ruimen.

'Dat was ma. Ik heb haar verteld dat je wat hebt gegeten.'

Hij keek weer naar de klok. Het was precies zes uur. 'Bedankt voor het eten, lieverd. Het was net zo lekker als mama het altijd maakt. Ik moet nu weer naar het ziekenhuis, hoor.'

Hij schoof de kaarten in elkaar, deed ze terug in het doosje en vertrok.

Ik herinner me deze gebeurtenissen van lang geleden nog goed. Niet omdat die tijd bijzonder was, maar vanwege mijn moeders ziekte en mijn vaders compliment over mijn kookkunst.

Als ik terugkijk besef ik dat tijdens die moeilijke dagen veel van de relatie van mijn ouders duidelijk werd door hun handelingen: mijn moeders bezorgdheid over mijn vader, hoewel ze zelf ernstig ziek was en mijn vader die de minuten telde voordat hij weer bij haar kon zijn. Beide spreken boekdelen. Deze mensen hadden meer met elkaar dan iemand kon weten.

Dit inzicht dat ik heb verkregen, is van onschatbare waarde. Geen twee relaties zijn hetzelfde. Het zou zijn alsof je twee blaadjes van dezelfde boom zou vergelijken. Aan de oppervlakte lijken ze gelijk, maar het zijn die kleine ondefinieerbare verschillen die ze uniek maken.

Wat u en ik een vreemde relatie vinden, is absoluut normaal voor het desbetreffende stel. Relaties zijn wat je erin stopt en eruit haalt. De enigen die het op zijn waarde kunnen schatten, zijn de mensen die erbij betrokken zijn. Ik geloof dat liefde iets persoonlijks is; zij kan het beste worden beoordeeld door de persoon die haar ontvangt.

Mijn man vertelde van die dag lang geleden, de dag voor ons trouwen. Hij vroeg zich toen af waar hij in hemelsnaam in terecht was gekomen en of hij nog weg kon. Er was echter één ding dat hem tegenhield. Toen hij opstond achter de bar zag hij mijn arme, aangevallen vader en hoorde de verwijtende stem van mijn moeder door de ruimte schallen. Hij keek mijn vader aan en deze gaf hem een knipoog en glimlachte.

Na bijna vijftig jaar huwelijk is mijn vader tien jaar geleden onverwachts overleden. Twee maanden daarna kreeg mijn moeder een zware beroerte en moest sindsdien in een rolstoel. Zij leefde nog zes jaar. Ze was er om haar twee kleinkinderen te begroeten voordat zij naar vader ging.

Ik twijfel er niet aan dat, zodra ze de poort door komt en zij mijn vader ziet, ze hem de wind van voren geeft over zijn te lange haar of kreukelige broek. En ik ben er ook zeker van dat mijn vader dan over haar heen naar Petrus knipoogt en glimlacht.

Karen Culver

De kleine rode laarzen

Kijk en wacht. De tijd zal haar bedoeling ontvouwen en uitvoeren.

Marianne Williamson

Toen mijn kleindochter, Tate, onlangs haar vijfde verjaardag vierde gaf haar moeder haar een bijzonder cadeau: een paar rode cowboylaarzen die van haar waren geweest toen zij klein was. Tate deed ze aan en danste opgewonden door de kamer. Ik moest denken aan die middag dat mijn schoondochter, Kelly, mij de kleine rode laarzen liet zien en vertelde over de eerste dag dat ze die had gedragen. Kelly had op die dag niet alleen haar eerste echte cowboylaarzen gedragen, maar ook haar eerste liefde ontmoet.

Hij was haar eerste oudere man. Zij was vijf en hij was zeven jaar oud. Hij woonde in de stad en zijn vader had hem op een zaterdagmiddag naar de boerderij van Kelly's grootvader gebracht om paard te rijden. Kelly zat boven op het hek en keek hoe haar opa haar pony opzadelde. Ze was trots op haar glimmende rode laarzen en deed erg haar best om ze niet vuil te maken.

De jongen uit de stad groette Kelly en lachte naar haar. Hij bewonderde ook haar rode cowboylaarzen. Het moet wel liefde op het eerste gezicht zijn geweest, want Kelly bood hem haar pony aan. Ze had nog nooit iemand anders erop laten rijden.

De boerderij van Kelly's grootvader werd later dat jaar verkocht en ze zag die jongen nooit meer. Om de een of andere reden was ze dat betoverende moment van toen ze vijf was nooit vergeten. Elke keer als ze haar rode laarsjes aandeed moest ze aan hem denken. Toen ze te klein waren geworden, besloot haar moeder ze niet weg te gooien, maar op te bergen. Kelly had zoveel van die rode laarsjes gehouden.

De jaren gingen voorbij. Kelly groeide op tot een mooie jonge vrouw en ontmoette mijn zoon, Marty. Ze trouwden en kregen een dochter, Tate. Op een dag snuffelde Kelly door wat dozen op zoek naar spullen voor een bazaar. Toen zag ze haar rode cowboylaarsjes weer en ze dacht met weemoed terug aan die tijd. 'Ik heb altijd zoveel van deze laarzen gehouden. Ik geef ze aan Tate voor haar verjaardag,' dacht ze.

Het gelach van Tate bracht me weer terug in de werkelijkheid. Ik zag dat mijn zoon mijn giechelende kleindochter optilde en met haar de kamer rond danste, haar rode laarsjes aan de voeten. 'Ik ben gek op je nieuwe cowboylaarzen. Ze herinneren me aan de dag dat ik voor het eerst pony mocht rijden. Ik zal ongeveer net zo oud zijn geweest als jij,' sprak hij.

'Een echt gebeurd verhaal, papa? Of een verzonnen verhaal? Heeft het een gelukkig einde. Ik hou alleen van verhalen die goed aflopen,' zei Tate. Ze was gek op de verhalen die mijn zoon vertelde over zijn kindertijd. Marty moest wel lachen om haar eindeloze vragenreeks en hij ging zitten met Tate op zijn schoot.

'Eens,' begon hij, 'was ik zeven jaar en ik woonde in de grote stad St.Louis, in de staat Missouri. En weet je wat ik het liefst wilde hebben op de hele wereld? Een paard. Ik vertelde mijn vader dat ik later een echte cowboy zou worden. Die zomer nam mijn vader me mee naar een boerderij niet ver hiervandaan en ik mocht op een pony rijden. Ik weet nog dat er een klein meisje was, dat net zulke nieuwe rode cowboylaarzen droeg als jij.'

Kelly had geluisterd naar Marty's verhaal over zijn eerste ponyrit. Toen hij over de rode laarzen sprak gingen haar ogen wijdopen van verbazing: Marty was die leuke jongen uit de stad geweest toen zij vijf jaar was?

'Marty,' zei ze met trillende stem. 'Ik was dat meisje. Dat was de boerderij van mijn grootvader. En dat zijn dezelfde rode laarzen!'

Tate zat vrolijk op de schoot van haar vader en was zich niet bewust van het magische moment waarop haar ouders beseften dat ze als kinderen elkaar al hadden ontmoet en dat ze toen al een bijzonder contact tussen hun zielen hadden gevoeld.

Jeannie S. Williams

Onverbrekelijk verbonden

De menselijke geest is sterker dan alles wat hem overkomt.

C.C. Scott

Het jonge stel staat voor in de kerk. Hij heeft zijn arm teder om haar middel. Zij steken vijf witte kaarsen aan in het gezelschap van familie en vrienden. De toeschouwers krijgen een brok in de keel als zij elkaar kussen.

Dit had de bruiloft van Cliff en Regina Ellis kunnen zijn, ze laten in ieder geval wel hun verbondenheid zien.

Maar het is hun bruiloft niet. Het is een begrafenisceremonie voor hun vijf jaar oude dochter, Alexandra, die twee jaar lang kanker heeft bevochten.

De dag voor ze stierf hebben haar ouders haar hetzelfde gegeven als op de dag dat ze geboren werd. Ze gaven haar een warm bad en knuffelden haar in het veilige water.

Ze spraken met haar over dolfijnen, net zulke als waarmee ze een paar weken daarvoor had gezwommen in Hawaii. Ze stopten haar in hun grote bed in de stille kamer boven, staken kaarsen aan, draaiden zachte muziek, zongen haar lievelingsliedjes en hielden haar stevig vast. Ze nam afscheid van haar poesje Simba, haar drie jaar oude broertje Zacharia en vijf generaties familie en vrienden. Toen ze ophield met ademen bleven ze nog enkele uren bij haar en lieten haar toen gaan.

Cliff en Regina zijn met hun eenendertig en negenentwintig jaren een jong stel. Sterk. Liefhebbend en wijs voor hun leeftijd. De terminale ziekte van een kind pleegt een aanslag op een huwelijk, dat van hen werd erdoor gesterkt.

Als ze twee maanden later terugkijken op de dood van hun dochter en de gevolgen ervan, stellen ze vast dat hun kracht voortkomt uit hun verbondenheid. Ze zijn verbonden met elkaar en willen de ouders zijn die Zacharia verdient te hebben. Ze zijn verbonden met de organisatie die zij hebben opgericht om informatie en hulp te geven aan kinderen met kanker. Het is ook die verbondenheid die hen in staat stelde het vreselijk zware, laatste jaar door te komen. Een jaar waarin ze het ene moment konden genieten van de zonsondergang en het volgende zich afvroegen waarom het leven zo gruwelijk is.

Regina Rathburn en Cliff Ellis hadden elkaar op de middelbare school ontmoet, begin jaren '80. Ze was een brugklasser en hij zat in de hoogste klas. Ze gingen af en toe uit, maar het werd pas serieus toen zij in het laatste jaar zat. Ze waren hartsvrienden en hun contact was speciaal. Cliff was grappig, gevoelig en warm en Regina was mooi met een sterke persoonlijkheid.

Toen ze in 1988 trouwden wilden ze meerdere kinderen. Regina wilde zo'n gezin waar ze altijd over van alles praatten, die samen lachten en samen huilden. 'Ik ben altijd realistisch geweest. Ik wist dat een huwelijk hard werken betekent. Ik had nooit de verwachting dat het alleen maar suikerzoet en prachtig zou zijn. Als we moesten groeien zou dat z'n prijs hebben,' zei Regina.

Kort daarop werd Alexandra geboren, een prachtige baby die wat ademhalingsproblemen had na de geboorte. Toen ze eindelijk thuiskwam klommen ze in een warm bad met hun dochter, veilig in handen van het lot. Drie jaar later, kwam Zach erbij. Hun mooiste dromen kwamen uit. Ze hadden veel tijd voor hun kinderen, terwijl ze ook hun zaken regelden.

Toen werd er bij Alexandra kanker in haar ruggenmerg geconstateerd. Twee en half jaar vocht ze ertegen, met chemotherapie en al. Cliff scheerde zijn hoofd kaal uit solidariteit met het kale hoofd van zijn dochter.

In de winter kwam de kanker terug. Alex weigerde een beenmergtransplantatie. 'Geen ziekenhuizen meer,' smeekte ze. Ze wilde naar Hawaii en met de dolfijnen zwemmen. Dat gebeurde.

Geen van de ouders wist hoe ze zouden reageren als het einde daar was. Zouden ze dezelfde zijn? Konden ze nog van elkaar houden na zo'n groot verlies? Alexandra had hun een kostbaar geschenk gegeven toen ze in hun grote bed lag en stervende was:

'Ze nam de hand van mijn man en die van mij en ze legde ze over elkaar heen op haar dunne lichaampje. Het leek alsof ze met deze laatste daad hier op aarde een onverbrekelijke band tussen hen wilde scheppen.

Ik keek op dat moment naar Cliff en dacht: "God wat is hij mooi! Wat is hij toch een zorgzame vader geweest." Ik zag in hem liefde, dat wonderbaarlijke geschenk. We waren er voor haar, honderd procent teamwerk. We waren dankbaar, voor onze dochter en onze relatie, net zoals we dat waren bij haar geboorte.'

Cliff en Regina kijken elkaar aan in de woonkamer als zij over deze onvergetelijke nacht spreken.

'Ik keek naar Regina en kon me niet herinneren ooit zoveel van haar te hebben gehouden. Ik voelde me nog dichter bij haar, het was ongelooflijk.'

Twee maanden later kijken ze terug op wat hen bindt.

Ze weten dat verdriet een eenzaam proces is en geven elkaar de ruimte. Ze begrijpen dat het huwelijk – in het bijzonder als het onder druk staat – zijn ups en downs heeft; sommige dagen zijn gewoon slechte dagen maar zijn geen reden om elkaar te verlaten.

Ze zijn het erover eens dat kinderen hun primaire taak zijn en hun belangrijkste bron van vreugde. Stel alles uit, maar maak tijd voor je kinderen, is het advies dat ze andere ouders geven.

Met de kennis, op harde wijze verkregen op zo'n jonge leeftijd, dat het leven kort is en waardevol, delen zij hun beperkte tijd met mensen of doen ze dingen die zij leuk of betekenisvol vinden.

Ze respecteren het feit dat de tijd mensen verandert en ze moedigen elkaar aan om te groeien

Ze weten dat zelfs in de moeilijkste tijd er geschenken zijn die je kunt ontdekken.

'Ik dacht dat de dood van Alexandra ons onderuit zou

halen, dat ik mezelf zou verliezen als ik haar kwijtraakte,' geeft Regina toe. 'Ik wist niet meer wie ik was, maar Cliff zei iets dat de fundamentele waarde van ons huwelijk uitdrukt: wie we ook zijn, we zijn samen.'

Jann Mitchell

7

De vlam die nog steeds brandt

Zij die nog nooit intimiteit hebben ervaren en daardoor het wederzijdse geluk en liefde binnen een vriendschap niet hebben gevoeld, missen het beste dat het leven te bieden heeft.

Bertrand Russell

Woensdagen

Groots is het kleine dingen te doen die het leven groot maken.

Eugenia Price

Ze is mijn vrouw, mijn minnares, mijn beste vriendin. Veertien jaar lang bestaat en groeit ons huwelijk. Ik kan eerlijk zeggen dat na al die tijd mijn liefde voor Patricia op geen enkele manier verminderd is. Eigenlijk brengt haar schoonheid me steeds meer in verrukking. De beste tijd van mijn leven is de tijd die ik samen met haar doorbreng, of het nu stil televisie kijken is of samen genieten van het spel van de plaatselijk honkbalclub.

Er bestaat geen geheime formule waardoor ons huwelijk voortduurt en andere huwelijken falen. Ik kan geen oorzaak van succes geven behalve dat het belangrijke element in onze relatie, de romantiek, nooit verloren is gegaan en er nog net zo is als toen we elkaar voor het eerst ontmoetten. Te vaak doodt het huwelijk die romantiek die bloeit tijdens de beginperiode van de relatie. Ik maak Patricia nog steeds het hof en daarom is de romantiek nooit verdwenen.

Romantiek is niet iets dat geleerd of gekopieerd kan worden. Iemand kan alleen romantisch zijn door de ander. Patricia, die al veertien jaar mijn vrouw is, heeft deze romantiek in mij aangewakkerd. Ik ben romantisch door haar. Zij bracht altijd het beste in mij boven. De facetten van onze romantiek zijn te veel om op te noemen. Er is bijvoorbeeld één handeling waarmee ik vijftien jaar geleden begon.

Voordat we waren getrouwd konden Patricia en ik elkaar doordeweeks niet zo vaak zien als we zouden willen. De weekenden gingen altijd te snel en de tussenliggende dagen duurden eindeloos. Ik vond dat er iets moest gebeuren waardoor de week sneller zou gaan, in ieder geval iets waar we naar uit konden kijken.

Op een woensdag, ongeveer vijftien jaar geleden, kocht ik mijn eerste kaart om aan Patricia te geven. Er was geen speciale aanleiding, de kaart gaf alleen uitdrukking aan mijn liefde voor haar en hoeveel ik aan haar dacht. Ik koos voor de woensdag omdat die dag het midden van de week was.

Sindsdien, en ik heb nog nooit een woensdag overgeslagen, krijgt zij iedere woensdag een kaart van mij, elke week, iedere maand, elk jaar.

Het kopen van de kaart is geen gewoonte. Het is mijn wekelijkse romantische missie om de juiste kaart te vinden. Mijn zoektocht brengt me naar verschillende kaartwinkels. Ik sta erom bekend dat ik lang voor het kaartenrek doorbreng op mijn speurtocht naar de meest geschikte tekst. De afbeelding en de woorden moeten een speciale betekenis hebben en op een bepaalde manier Patricia en ons leven samen weergeven. De kaart moet een emotie in mij oproepen. Als ik tranen in mijn ogen krijg, weet ik dat ik de goede kaart heb gevonden.

Iedere woensdagochtend vindt Patricia als ze wakker wordt mijn kaart. Hoewel ze weet dat er altijd een is, is ze steeds weer opgetogen en scheurt de enveloppe open om te lezen wat erin staat. En voor mij betekent het geven alleen al een grote vreugde.

Aan het voeteneinde van het bed staat een koperen kist gevuld met alle kaarten die Patricia de afgelopen vijftien jaar van mij heeft ontvangen. Het zijn er honderden en elke kaart geeft liefde weer. Ik kan alleen maar hopen dat we lang genoeg samen zullen zijn om nog eens tien koperen kisten te vullen met mijn wekelijkse boodschappen van liefde, tederheid en bovenal dank voor de vreugde die Patricia in mijn leven heeft gebracht.

David A. Manzi

Eeuwig jong

Zolang men kan bewonderen en liefhebben is men voor eeuwig jong.

Pablo Casals

Er is iets vreemds gebeurd gedurende mijn zesentwintigjarige huwelijk. Mijn ouders zijn bejaard geworden. Onze kinderen zijn uitgevlogen, maar ik ben niet ouder geworden. Ik weet wel dat er jaren achter ons liggen, want ik voel hun verlies. Geen spijkerbroeken meer in maat 28 of plateauzolen. Verdwenen is het gretige gezicht van het jonge meisje dat bereid is elke uitdaging aan te gaan. Maar op een bepaalde manier, net zoals Tinkel van Peter Pan, zweef ik door de tijd, omdat ik in de ogen en het hart van mijn man... nog steeds en altijd zal zijn... een meisje van achttien. Zo zorgeloos en wispelturig als op de dag dat we elkaar ontmoetten.

Hij noemt me nog steeds zijn 'liefje'. Hij neemt me mee naar enge films, waar we dan tussen de gillende teenagers zitten. We houden elkaars hand vast en delen de popcorn, net zoals zovelen jaren geleden. We rijden nog steeds achter de brandweer aan en eten in cafetaria's en luisteren naar muziek uit de jaren zestig.

'Dat zou jou ook goed staan,' zegt hij en hij wijst naar een mooi meisje dat in het winkelcentrum loopt. Ze heeft lang blond haar en draagt een topje en korte shorts. Had ik al gezegd dat ze ongeveer twintig is? Ik wil wel hard lachen, maar ik weet beter. Hij bedoelt het serieus.

In juli neemt hij me altijd mee naar de kermis. Tijdens een warme zomeravond slenteren we over het stoffige terrein en nemen de muziek en beelden in ons op. We eten geroosterde maïs en hij koopt nutteloze souvenirs voor me. Vanuit de kraampjes wordt naar ons geroepen. Hij gooit pijltjes naar ballonnen en probeert ieder jaar weer die gigantische beer te winnen. Terwijl anderen van onze leeftijd op de bank liggen, zitten wij in de achtbaan. Op en neer en rond gaat het, we houden elkaar stevig vast als de piepende wielen hun laatste scherpe bocht maken. Als de avond tot een eind komt zitten wij op ons lievelingsplekje boven in het reuzenrad en we delen roze snoepgoed en kijken naar de zee van lichtjes beneden ons.

Soms vraag ik me wel eens af of hij wel beseft dat ik de veertig al ben gepasseerd. Dat de kinderen die ik droeg zelf al kinderen kunnen krijgen. Ziet hij de grijze haren dan niet? De rimpels rond mijn ogen? Merkt hij mijn onzekerheid niet? Of hoort hij mijn knieën niet kraken? Ik zie hem naar mij kijken met jonge guitige ogen en besef dat hij het niet weet.

Ik vraag me soms af waar we de komende veertig jaar zullen zijn. Ik weet dat we samen zullen zijn, maar waar? In een bejaardenhuis? Bij onze kinderen? Op een of andere manier kloppen deze beelden niet. Er is maar één beeld dat constant en duidelijk is. Ik sluit mijn ogen en kijk ver in de toekomst... en ik zie ons... een oude man en z'n liefje. Ik heb wit haar en zijn gezicht is gerimpeld. We zitten niet voor een gebouw en zien de wereld aan ons voorbij gaan, maar we zitten hoog in het reuzenrad, hand in hand, en eten roze snoepjes onder het maanlicht in juli.

Shari Cohen

Ik hou nog steeds van jou

De stad Newbury, in de staat New Hampshire, heeft ongeveer 1500 inwoners. Dwars door de stad loopt van noord naar zuid de State Road 103. Op ongeveer vier meter hoogte aan de oostkant van die weg staat een groep bruingrijze rotsen zo groot als een man. Aan de zuidkant zijn ze zo vlak als een reclamebord en staan gericht op de weg die uit het noorden komt.

Ongeveer vijfentwintig jaar geleden stonden tegenover de weg, aan de westkant, een aantal keurige cederhouten huisjes. Er zijn nog mensen die weten dat in de achtertuin van een van die huisjes tientallen kippen liepen. De eieren vormden het ontbijt voor de familie Rule en zorgden voor wat neveninkomsten. De dochter Gretchen was mooi, slim, in zichzelf gekeerd en zestien jaar oud.

Er was een jongen, een verlegen jongen en ook in zichzelf gekeerd. Zijn naam is nu vergeten, maar hij was verliefd op Gretchen Rule. Hij zocht wegen om haar dat te vertellen zonder dat zij hem zou zien. Hij zag de rotsen en schreef op een maanverlichte nacht met duizenden sterren aan de hemel met een spuitbus: 'Kippenboerin, ik hou van je' in twintig centimeter grote letters. Althans zo gaat het verhaal. Het meisje zag het en giste wie de schrijver was (hoewel het natuurlijk maar raden bleef) en de stad en de passerende automobilisten glimlachten en hadden zo hun eigen ideeën en reden verder.

De boodschap bleef er jaren op staan hoewel de bramen hem overwoekerden en de letters die eens zo dik en wit waren wat begonnen te vervagen.

Gretchen Rule ging naar Harvard en begon aan haar volwassen leven. De jongen, wie het ook was, of is, werd een man. De rots werd een relikwie, een liefdesbrief die uit de tijd was.

Op een nacht, zo'n tien twaalf jaar geleden (niemand zag het gebeuren en vandaag de dag kan nog steeds niemand het met zekerheid zeggen) waren de bramen weggesnoeid. De boodschap was overgeschilderd en aangepast: 'Kippenboerin, ik hou nog steeds van jou.'

De rots werd een wegwijzer. 'Het is de eerste straat links, na de kippenrots,' waren de mensen gewend te zeggen. 'Kip', 'houden van' en 'boerin' waren de eerste woorden die de kinderen van de Newbury kleuterschool, nu tieners, leerden lezen. Skiërs die vanuit Boston naar het noorden, op weg naar Sunapee, reden verzonnen verhalen over de onbeantwoorde liefde. En ieder jaar werden de letters, bijna onopgemerkt, opnieuw geschreven en de bramen weggesnoeid.

Afgelopen april belde een onbekende naar het kantoor van de afdeling openbare werken van de staat New Hampshire en klaagde over graffiti. Nog diezelfde avond was het enige dat was overgebleven van de boodschap, van een verlegen jongen lang geleden, een roestkleurig vlak. De regionale krant, de *Concord Monitor*, schreef een requiem: Liefdesboodschap voor de kippenboerin is niet meer.

Er ging een week voorbij. Maar op 30 april scheen de ochtendzon op de woorden van de koppigste liefde van New Hampshire: 'Kippenboerin, ik hou nog steeds van jou.'

Het waren dezelfde letters en van dezelfde grootte, maar ze waren dikker dit keer en eerder geschilderd dan gespoten.

De mensen van de stad Newbury waren als nooit tevoren vastbesloten hun wegwijzer te behouden en schreven een petitie aan de afdeling openbare werken van de staat New Hampshire en pleitten voor de handhaving van de woorden op de rots. Ze verzamelden handtekeningen, 192 op één dag. Ze kregen het antwoord dat de Kippenrots-boodschap voor eeuwig bewaard zou blijven.

En ergens zal zeker een verlegen veertiger hebben geglimlacht.

Geoffrey Douglas

Een gewone dinsdag

Op een dinsdag begin jaren vijftig kwam een goede vriend langs en vertelde dat hij net een dochtertje had gekregen. Hij vroeg aan mijn man Harold of hij mee kon gaan naar het ziekenhuis. Ze zeiden dat ze met het avondeten terug zouden zijn.

De twee stopten bij een bloemist en kozen een pot tulpen voor de nieuwe moeder en toen bedacht mijn schat dat hij zijn vrouw ook wel eens tulpen zou kunnen geven. Hij besloot er twintig rozen bij te doen voor de goede verhouding en liet het afschrijven van de rekening die ik geopend had voor begrafenissen et cetera. Waarschijnlijk vond hij dit nou een echte et cetera.

Na het bezoek aan het ziekenhuis stopten ze bij een bar om iets te drinken. Ze namen de bloemen mee naar binnen, omdat ze in de auto zouden verwelken. Van het een kwam het ander en al snel vroegen de stamgasten naar de rode rozen en tulpen. Harold was overrompeld en een beetje in verlegenheid gebracht. Hij antwoordde: 'Het is een feestdag voor mijn Dot vandaag.'

Maar het was noch onze trouwdag noch mijn verjaardag. Het was gewoon dinsdag. De ene stamgast na de ander schonk hun een drankje ter ere van het feest. Het was al ongeveer half tien toen ze vroegen waarom hij eigenlijk alleen was. Harold antwoordde: 'Mijn vrouw moest nog iets doen tot tien uur, daarna komt ze om samen met mij hier wat te eten.' Hij bestelde het eten direct; steak en niet alleen voor ons maar ook voor alle stamgasten. De eigenaar dekte de tafels graag voor achttien personen.

Nu stond Harold voor het probleem hoe hij mij daar kon krijgen. Het was niet bepaald mijn lievelingszaak, het was laat en hij had het avondeten gemist. Ik zou zeker bezorgd en kwaad zijn.

Daarom belde mijn schat een taxi en vertelde de chauffeur naar Dublin te gaan en Dot te zeggen dat hij problemen had en dat ze direct moest komen. Ik had mijn nachtpon en peignoir aan en in mijn haar had ik die vreselijke metalen krulspelden toen de taxichauffeur aankwam. Ik gooide een jas over mijn schouders, trok laarzen over mijn slippers en vloog naar buiten.

De bar was leeg toen ik binnenkwam. 'Mijn God, er is iets vreselijks gebeurd,' mompelde ik. Een serveerster leidde me naar de verduisterde eetzaal. 'Verrassing! Verrassing!' Harold stond op en schoof mijn stoel naar achteren. Hij kuste me op de wang en fluisterde: 'Ik leg het straks wel uit.' Dat moest hij zeker.

Maar ja, rozen zijn rozen en steak is steak en je bent getrouwd in voorspoed en tegenspoed. Ik rook aan de rozen, glimlachte naar mijn onbekende gasten en schopte mijn echtgenoot hard onder de tafel. Ik had nog nooit met deze mensen aan tafel gezeten en zou dat ook nooit meer doen, maar toch wist ik dat hun goede wensen oprecht waren. Ik heb zelfs de trouwwals nog gedanst in mijn nachtpon en op laarzen ter ere van een gewone dinsdag.

Dorothy Walker

Schat, jij bent mijn...

mijn blauwe hemel,
mijn prachtige heuvel,
mijn warme bed,
mijn haven in een storm,
mijn liefste geschenk,
mijn emotionele baken,
mijn beste vriend,
tot het einde,
mijn inspiratie,
mijn bestemming,
mijn stralend licht,
mijn dag en nacht,
mijn genezer van hartzeer,
mijn boosheidbedwinger,
mijn verlosser van pijn,
mijn lente,
mijn kostbaar juweel,
mijn beantwoord gebed,
mijn hart en ziel,
mijn leven,
mijn draaimolen,
mijn 'up' als ik down ben,
mijn beste kans,
mijn laatste dans,
mijn beste keus,
mijn zoet snoepje,
mijn oppepper,
mijn smaakmaker,
mijn ochtendzon,
mijn danspartner,

mijn verzorger van de ziel,
mijn bron van vreugde,
mijn voor eeuwig,
mijn door de hemel gezonden,
en voor mij geboren,
mijn brandend vuur,
mijn hartsvriendin,
mijn gelukkig lot,
mijn droomgeliefde,
mijn 'voor alles',
mijn vertrouwen,
mijn helder verstand,
mijn reden tot leven
tot ik sterf.

Voor 't geval je het niet wist.

David L. Weatherford

Twintig jaar getrouwd

De belangrijkste vraag is: Hoe zorg je ervoor dat de liefde niet verdwijnt?

Tim Robbins

Ik moet altijd glimlachen als iemand bigamie definieert als één echtgenoot te veel en monogamie ook. Ik zie het huwelijk als een levenslang avontuur in communicatie. Zo is het in ieder geval met mijn man, Marty.

Marty en ik zijn nu zo'n twintig waardevolle jaren bij elkaar.

Hij is, en dat bedoel ik liefdevol, een gewone man die met beide benen op de grond staat. Bijvoorbeeld: ik vertelde hem onlangs dat ik eraan dacht weer te gaan schilderen. Hij keek me aan en zonder een spier te vertrekken vroeg hij: 'Hoogglans of latex?'

Dat is typisch Marty.

Ik herinner me de maanden voorafgaand aan onze twintigste trouwdag. Ik mijmerde over ons huwelijk en vroeg me af of het wel zo was als het zou moeten zijn. Niet dat er iets aan mankeerde, maar er scheen gewoon niets nieuws meer te gebeuren in onze relatie. Ik dacht aan de betovering van een nieuwe relatie, de spanning van het ontmoeten van een vreemde en langzaam al de fantastische details van zijn persoonlijkheid ontdekken; het plezier dat je hebt als je overeenkomsten vindt; het eerste afspraakje, de eerste aanraking, de eerste kus, de eerst knuffel, het eerste alles.

Op een ochtend begonnen mijn zo welbekende echtgenoot en ik aan onze dagelijkse joggingronde van ongeveer zes kilometer. Hoewel het een prachtig mooi moment van de dag was, waren mijn gedachten ergens anders. Ik dacht aan al die dingen die er na twintig jaar huwelijk niet meer schenen te zijn en wat ik dus misliep. We waren tweeënhalve kilometer op weg en liepen onder twee cederbomen, die een soort ereboog boven onze hoofden maakten. Toen we als vanouds onder die bomen omdraaiden om terug te gaan, nam mijn man me plotseling in zijn armen en kuste me.

Ik was zo geconcentreerd op al de dingen die ik miste, dat zijn kus mij totaal overrompelde.

Door die zweterige kus tijdens het joggen zag ik ineens die opeenstapeling van geschenken, die de twintig jaar samenleven met Marty mij had gegeven. We hadden elkaar getroost bij het sterven van drie ouders en twee broers. We waren erbij toen zijn zoon afstudeerde aan de Technische Hogeschool van Virginia. We hadden van Nova Scotia tot de Canadese Bergen gekampeerd. We hadden samen op vier juli met mijn familie in Ierland gezongen en gewandeld langs de Baai van Anchorage in Alaska. We hadden samen veel aardappelen gegeten, hadden veel zonsondergangen gezien en veel van het leven gedeeld.

Er is niemand met wie ik op zo'n manier de dingen deel en op dat moment, onder die boog van cederbomen, deelden we iets nieuws. Een wandeling, een fijne, veilige vriendschap die iedere dag nieuwe liefde gaf en een kus, die nooit eerder was gegeven en nooit meer zal worden gegeven. Dit was een nieuw moment, zoals ieder moment nieuw zou zijn.

Onze twintigste trouwdag kreeg een heel andere betekenis en die is mij sindsdien bijgebleven: binnen onze oude verbondenheid vieren we de nieuwe.

Maggi Bedrosian

Glimlach naar degene die je liefhebt

Moeder Teresa geeft mensen soms onverwacht advies. Een groep Amerikanen, van wie de meesten in het onderwijs werkten, bezocht haar in Calcutta. Ze vroegen haar om enkele wijze woorden die zij konden overbrengen aan hun familie.

'Glimlach naar je vrouwen,' vertelde ze hen. 'Glimlach naar jullie mannen.'

Een van hen vond deze boodschap voor iemand die ongetrouwd was een beetje te simpel en vroeg: 'Bent u getrouwd?'

Tot hun verrassing antwoordde ze: 'Ja, en ik vind het soms moeilijk om naar Jezus te glimlachen. Hij kan nogal veeleisend zijn.'

Eileen Egan

8

Eeuwige liefde

De tedere woorden die wij elkaar toefluisteren worden opgeborgen op een geheime plek in de hemel en op een dag zullen ze als regen naar beneden komen en zich verspreiden, zodat ons mysterie overal op de wereld zal groeien.

Rumi

Rijstpudding

Sheila stommelde de stafkamer in, haar uniform zat onder de etensresten. 'Ik weet niet hoe jij het voor elkaar krijgt,' zei ze vertwijfeld tegen Helen, het avondhoofd. Ze plofte in een stoel en keek boos naar haar verkreukelde broodzakje. 'Mevrouw Svoboda heeft net weer haar dienblad naar me gegooid en ze is zo opgewonden dat ik niet weet hoe ik haar kan verschonen voor ze naar bed gaat. Hoe komt het toch dat jij het niet zo moeilijk hebt met haar?'

Helen glimlachte vol sympathie: 'Ik heb mijn portie ook gehad, maar ik ben hier langer en natuurlijk kende ik haar echtgenoot.'

'Ja, Troy. Ik heb over hem gehoord. Het is zowat het enige woord dat ze begrijpt als ze weer eens bezig is.'

Helen keek stil naar de jonge leerling-verpleegster. Hoe kon ze uitleggen wat verborgen zat achter de façades van de bewoners van het verpleeghuis? Sheila werkte hier alleen deze zomer. Was die periode lang genoeg om de onbeminden te leren liefhebben?

Weifelend begon ze: 'Sheila, ik weet dat het moeilijk is om met mensen zoals mevrouw Svoboda te werken. Ze is grof en stribbelt altijd tegen en ze kan een flinke linkse uitdelen.' Sheila keek verdrietig. 'Maar weet je, ze is meer dan alleen maar de demente vrouw die je iedere dag ziet.' Helen stond op om nog een kop koffie in te schenken. 'Ik wil je graag vertellen over het moment dat ik voor het eerst de Svobodas leerde kennen.

Toen mevrouw hier werd opgenomen was ze nog niet zo erg als ze nu is, maar ze was behoorlijk pittig. Ze klaagde altijd over de kleinste dingen: de thee was niet warm genoeg, haar bed was niet goed opgemaakt. Op een van haar kwaaie dagen beschuldigde ze ons er zelfs van haar dingen te stelen. Ik kon maar moeilijk geduld voor haar opbrengen, totdat haar echtgenoot er een keer bij was toen ik haar in bad deed. Ik maakte me op voor het gewoonlijke gevecht, toen hij vroeg of hij kon helpen. "Graag," zei ik. Het ging goed, totdat ik de lift in het bad liet zakken. Gelukkig was ze vastgebonden met veiligheidsbanden, want ze begon te schreeuwen en te schoppen.

Ik wilde haar snel wassen toen Troy zijn hand op mijn arm legde. "Laat haar even aan het water wennen." Hij begon zachtjes met haar in het Russisch te spreken. Na een paar minuten was ze kalm en scheen naar hem te luisteren. Hij nam de handdoek en zeep van mij over en waste voorzichtig haar handen. Daarna waste hij langzaam en teder haar armen en schouders en ging verder over de gerimpelde en vale huid. Uit iedere aanraking sprak zorgzaamheid, uit iedere beweging een belofte en plotseling werd ik me ervan bewust dat ik getuige was van een zeldzaam moment van intimiteit. Na een tijdje sloot ze haar ogen en ontspande zich in het warme water. "Mijn mooie Nadja, je bent zo mooi," mompelde de oude man. Tot mijn grote verrassing opende zij haar ogen en sprak zachtjes: "Mijn mooie Troy." Wat mij nog meer verbaasde was dat zij tranen in haar ogen had.

Meneer Svoboda liet de lift een beetje achteroverzakken en maakte haar haar los. De oude vrouw glom van genoegen toen hij het haar streelde, waste en uitspoelde. Daarna kuste hij haar op het voorhoofd. "Klaar, mijn mooie vrouw. Het is tijd om eruit te gaan."

Ik moest bij hen blijven, ook al hadden ze mij niet nodig. Op deze manier ontdekte ik de geliefde vrouw die verscholen was achter de ruïnes van ouderdom. Ik had haar nooit zo gezien. Ik had zelfs haar voornaam niet geweten.'

Sheila was stil en roerde zonder opkijken in haar yoghurt. Helen haalde diep adem en ging verder met haar verhaal.

'Mevrouw Svoboda bleef die hele middag kalm. Haar man hielp me haar aan te kleden en gaf haar de lunch. Ze klaagde over het eten en gooide zelfs haar soep om. Meneer Svoboda ruimde het geduldig op en wachtte tot het schelden voorbij was. Toen gaf hij haar de rest van de maaltijd en praatte met haar tot het tijd was om naar bed te gaan.

Ik was bezorgd over de oude man. Hij zag er totaal uitgeput uit. Ik vroeg hem waarom hij erop stond zoveel zelf te doen, terwijl wij ervoor betaald werden. Hij antwoordde: "Omdat ik van haar hou."

"Maar u put uzelf uit," antwoordde ik.

"Je begrijpt het niet," ging hij verder, "we zijn bijna negenenveertig jaar getrouwd. Toen we begonnen was het leven op een boerderij veel harder dan jij je kunt voorstellen. Door droogte was onze oogst verloren en er was niet genoeg te eten voor de koeien. Onze kinderen waren klein en ik wist niet hoe wij de winter door zouden moeten komen. Ik voelde me zo machteloos en het maakte me woedend. Het was moeilijk om met mij te leven dat jaar. Nadja nam m'n buien voor lief en liet me alleen, maar op een keer tijdens het avondeten ontplofte ik. Ze had mijn lievelingsgerecht gemaakt: rijstpudding en het enige wat ik deed was me druk maken over de hoeveelheid suiker en melk die ze daarvoor had gebruikt.

Plotseling kon ik er niet meer tegen. Ik gooide mijn bord tegen de muur en stormde naar de schuur. Ik weet niet hoe lang ik daar ben geweest maar omstreeks zonsondergang kwam Nadja me zoeken. Ze zei: 'Troy je bent niet alleen met je zorgen. Ik heb beloofd dat ik naast je zal staan in alles wat het leven brengt. Maar als je dat mij niet toestaat, dan moet je gaan.' Ze had tranen in haar ogen, maar ze klonk vastbesloten. 'Je bent jezelf nu niet, maar als je er klaar voor bent, kun je bij ons terugkomen. Wij zullen er zijn.' Toen kuste ze mijn wang en liep naar het huis terug.

Die nacht bleef ik in de schuur. De volgende dag ging ik de stad in, op zoek naar werk. Dat was er natuurlijk niet, maar ik bleef zoeken. Na ongeveer een week gaf ik het op. Ik voelde me een totale mislukking, als boer en man. Ik ging naar huis en wist niet of ik daar nog welkom zou zijn, maar ik wist niet waar ik anders heen kon. Toen ze me aan zag komen kwam Nadja het huis uit rennen. Haar schort wapperde achter haar aan. Ze wierp zich in mijn armen en ik begon te huilen. Ik hield haar vast als een pasgeboren kind. Zij streelde alleen maar mijn hoofd en hield me beet. Toen gingen we het huis in alsof er niets was gebeurd.

Als zij bij mij kon blijven gedurende mijn slechtste tijd, tijdens de moeilijkste periode in ons leven, is troosten het minste dat ik nu voor haar kan doen en haar herinneren aan de goede tijd die we hebben gehad. We glimlachten altijd als we rijstpudding aten en dat is een van de weinige dingen die ze nu nog weet." '

Helen was stil. Plotseling schoof Sheila haar stoel achteruit. Ze veegde een traan van haar wang: 'Mijn pauze is voorbij en er is een dame die haar avondeten nog moet krijgen.' Ze keek Helen aan. 'Ik weet zeker dat ze in de keuken, als ik het lief vraag, nog wel wat rijstpudding kunnen maken.'

Roxanne Willems Snopek

Een teken van zijn liefde

Het was nooit bij me opgekomen dat alleen ik het retourvliegticket zou gebruiken en dat het voor Don een enkele reis zou zijn. We waren op weg naar Houston voor een open-hartoperatie, de derde van Don. Behalve de hartklachten was hij een sterke, gezonde man van bijna eenenzestig jaar oud. Zijn arts had er alle vertrouwen in dat hij de operatie om een hartklep te vervangen goed zou doorstaan. Anderen hadden ook twee of meer operaties overleefd. Don zou het ook overleven.

De dag van de operatie duurde erg lang. Na zes uur kwam de dokter me vertellen dat ze Don niet van de hartlongmachine konden krijgen. Zijn hart klopte niet meer vanzelf. Een linkerventrikel werd toegevoegd ter ondersteuning. Na twee dagen moest deze ingebouwde machine worden verwijderd. Don bleef nog vijf dagen in coma met iedere beschikbare mechanische ondersteuning. Op een ochtend schudden de artsen hun hoofd en zeiden dat het erop leek dat we de strijd verloren. Ik ging zoals gewoonlijk naar binnen, hield zijn hand vast en vertelde Don hoeveel ik van hem hield en dat ik wist dat hij aan het vechten was om terug te komen, maar dat ik hem los moest laten om te doen wat gedaan moest worden. 'Ik zal altijd van je houden en ik wil dat je weet dat als je moet gaan, je niet bezorgd over mij moet zijn.' Die nacht stierf hij.

Thuis in Denver werd ik opgevangen door mijn geliefde broer. Mijn kinderen kwamen over voor de begrafenis en steunden me fantastisch en liefdevol. Toch voelde ik me verloren. Ik had Don opnieuw gevonden. Dertig jaar geleden had ik hem op de universiteit vaarwel gezegd en we hadden daarna ons eigen leven geleefd. Hij in Denver en ik in Houston. Ik was gescheiden en toen ik een brief en foto van deze jeugdliefde tegenkwam, voelde ik dat ik hem moest schrijven. Een 'Hallo' na dertig jaar. Zijn naam vond ik in het telefoonboek en de brief werd verstuurd. Hij schreef terug en vertelde dat zijn vrouw twee maanden daarvoor was overleden. We correspondeerden en besloten na een tijdje dat we elkaar weer zouden zien. Wat een reünie! Onze liefde was weer net zo vertrouwd en ongecompliceerd als jaren geleden. We trouwden in april, twee jaar nadat we elkaar weer hadden ontmoet. Ik verhuisde naar Denver en we waren zes heerlijke jaren samen. We hadden er nog veel meer gewild.

De dag voor de begrafenis zat ik buiten in de tuin en voelde dat er nu ook een einde aan mijn leven was gekomen. Ik wilde het liefst de zekerheid dat het nu goed ging met Don. Dat hij geen pijn meer had en dat zijn geest, in vrede, altijd wel ergens in de buurt zou zijn. 'Laat het me alsjeblieft zien. Geef me een teken,' bad ik hem.

Don had die zomer een rozenstruik geplant waaraan gele rozen behoorden te bloeien. Hij noemde mij altijd zijn 'gele roos van Texas'. De plant was geen succes geweest en had in de afgelopen drie maanden nog geen knop gekregen. Ik keek naar de struik. Tot mijn stomme verbazing, ik stond op om het van dichtbij te zien, droeg een tak een aantal prachtige knoppen. Het waren er zes, één voor ieder jaar van ons samenzijn. De tranen sprongen in mijn ogen en ik fluisterde: 'Dank je.' Op zijn begrafenis, de volgende dag, had Don een mooie gele rozenknop in zijn handen.

Patricia Forbes

Wachten

Weer een dag voorbij. Weer een dag van nietsdoen. Ik zat en staarde naar de tv aan de muur in de kleine donkere kamer. Het patroon van het behang en de gordijnen waren verborgen in de schaduwen. Het enige raam in de kamer keek uit op een stenen muur en was overdag saai en 's avonds een donker gat. De medicinale en desinfectiegeuren waren niet langer te onderscheiden. Sinds wanneer rook ik die niet meer?

Het bezoekuur was die avond weer voorbij. Hoeveel nog? Hoe lang nog moest ik mijn man, mijn beste vriend Jerry, een ongelijke strijd zien strijden tegen een genadeloze vijand die ons vernietigde? Hoe kon iemand die zo gezond en energiek was het slachtoffer worden van deze monsterlijke ziekte. Lymphoma. Bijna niemand van onze familie en vrienden had er ooit van gehoord.

Als ik luister naar zijn hoge ademhaling haal ik afwezig mijn vingers door mijn haar en vraag me verwonderd af waarom het zo moet eindigen. Bijna vierentwintig jaar geleden, op mijn trouwdag, beloofde ik God dat ik Jerry niet zou verlaten tot de dood ons scheidde. De achttienjarige bruid in haar witte jurk dacht dat de dood iets was dat alleen hun overkwam die hem toelieten. En ongeveer twintig jaar later smeekte de tweeënveertigjarige vrouw, met een gebroken hart, of God haar stervende man uit zijn lijden kon verlossen.

Ik ging zitten in de stoel waarin ik de afgelopen maand iedere nacht sliep. In de vorige kamer was er een stretcher geweest. Maar nu was Jerry stervende en hij lag op de terminale afdeling en hier waren alleen maar stoelen met houten leuningen, ontworpen om het wachten te ontmoedigen. Het was onmogelijk om van drie stoelen een bed te maken. Realiseerden zij zich niet dat wij moeten wachten, wij die machteloos onze geliefden bijstaan in hun laatste dagen, uren?

Het geluid van hakken trekt weg tot het alleen nog maar een zachte echo is. Ik open de deur alleen maar om mij ervan te overtuigen dat er nog een wereld daarbuiten is. De vorige keren in het ziekenhuis waren anders geweest. We hadden toen nog hoop op verbetering gehad, op genezing zelfs. We hadden kunnen praten, lachen en elkaar bemoedigen. Nu was het meer dan een maand geleden dat Jerry met me had gesproken of me met zijn ogen de kamer door had gevolgd. Hij kon nu zelfs niet eens meer duidelijk maken of hij mijn gefluister hoorde of begreep. Toch wil ik met hem praten, met een stem die trilt van liefde, verlangen, verdriet in de hoop dat waar hij ook is hij me kan horen:

'Lieverd, je bent voor mij nog steeds de belangrijkste persoon op de wereld.'

'Ik ga niet bij je weg. Dat beloof ik.'

'Als je me niet ziet. Ik zit in de stoel of in de gang of de badkamer. Ik ben zo terug.'

'Je hoeft voor mij niet te vechten. Ik weet dat je moe bent. Maak je over jezelf en mij geen zorgen.'

'Ik ga niet weg. Dat beloof ik.'

De enige reactie van die bruine ogen, die voorheen altijd glommen, was een lege blik.

Wachten. Het wachten voor de mensen aan de andere kant van de gang was voorbij. Daar lag een achtenzeventigjarige vrouw die een hersenbloeding had gehad al een week stil en bewegingloos in bed. Een euthanasieverklaring zorgde ervoor dat er geen heroïsche maatregelen werden genomen om haar leven te verlengen. Net die avond was de goede moeder, die een lang en rijk leven achter zich had, stilletjes ingeslapen. Haar kinderen en hun partners waren echter allesbehalve stil. Vanwege hun luid gejammer haastten de verpleegsters zich om de deuren van de andere kamers te sluiten, zodat de patiënten hun uiting van verdriet niet zouden horen. 'O nee!' 'Ze is dood!' 'O God, nee!' 'Ga John halen!' 'Ga Frank halen!' 'Oma kom terug!' Waarom hadden ze zo weinig mededogen met ons die nog moeten wachten? Wachten.

Om aan hun hysterie te ontsnappen zette ik het geluid van de tv zo hard mogelijk aan en belde mijn beste vriendin.

'Betty, praat met me. Vertel me wat je vandaag hebt gedaan. Begin te praten en stop niet voordat ik je het vraag.' Betty is altijd een goede vriendin geweest, beter dan ik heb verdiend. Zonder vragen begon ze en ging door totdat haar geruststellende stem het bonzen in mijn borst wat kalmeerde.

Wachtende probeerde ik te denken. Ik probeerde te plannen. Wat zou er gebeuren als ik het onvermijdelijke moment niet aankon? Ik moest de verpleegsters laten beloven dat ze me zouden helpen als ze hier waren. 'Ik denk dat ik het wel aankan, maar zo niet, sluit me dan op in de badkamer en stop een handdoek in mijn mond. Als ik al mijn waardigheid verlies, laat me dan alsjeblieft anderen niet overstuur maken.'

Rusteloos en vechtend tegen de constante zorg over onze kinderen en hun pijn, zocht ik een tijdelijke vlucht. Bij de frisdrankautomaat was een raam dat op het zuiden uitkeek. Een echt raam dat me straatlichten, verkeer, mensen en een winkelcentrum liet zien; het normale leven dat we ooit leidden. Ik zei zachtjes tegen Jerry dat ik een Pepsi ging halen.

Terwijl ik uitkeek in de nacht verlangde ik naar mijn meisjes. Mijn moeder zou eigenlijk bustochtjes moeten maken met andere senioren, maar in plaats daarvan regelde ze nu alles bij ons thuis. Carol, van tweeëntwintig, was gestopt met haar studie. Ze nam haar eigen beslissingen, maar enkele daarvan baarden me zorgen. Mary zat in de vijfde klas en leek in uiterlijk en interesse heel erg op haar vader. Zij miste de aandacht die hij haar altijd had gegeven. Ik had haar verwaarloosd ten tijde van Jerry's ziekte, maar zeker deze laatste vreselijke zes maanden. Onze opgewekte kleine elf had problemen op school, maar ik was hier en zij was daar. Ze was pas tien. Ik zou haar nog lang bij me hebben. Dan zou ik zeker tijd hebben om het goed te maken. Zeker.

Ik zuchtte diep en wendde me van het raam af. Ik zag een jonge vrouw, klein, met zandkleurig haar en ze keek vriendelijk naar mij. Ze droeg een weekendtas, een handtas en een boodschappentas. Het was duidelijk dat ze de dag met een patiënt had doorgebracht.

Ze drukte op het liftknopje en zei: 'Dan ga ik maar naar huis.'

Ineens overviel het me. Ik zonk weg in zelfmedelijden. Het was te veel om te dragen. Ik voelde me hulpeloos, boos en uitgeput.

'Ik ben al zes weken niet thuis geweest.' Mijn stem trilde.

Ze liep naar me toe, zette haar tassen neer, hield haar hoofd schuin en vroeg: 'Wat is er aan de hand?'

'Mijn man is stervende.'

Plotseling voelde ik haar armen om me heen, ze hield me stevig vast alsof ik een angstig kind was en zei: 'Laat maar gaan.' En ik huilde.

Zo stonden we een tijdje, ik huilde zachtjes op haar schouder en zij wiegde me heen en weer alsof ze me al haar hele leven kende. Ik hoorde de liftdeuren openen en stapte achteruit.

'Je lift is er.'

Ze schudde haar hoofd: 'Laat maar. Is er iets dat ik voor je kan doen? Is er iets dat je nodig hebt?'

'Nee, echt niet,' en ik drong aan: 'Alsjeblieft, ga nu.' Ik stuurde haar weg en ging terug naar Jerry's kamer om te wachten.

Twee dagen later stierf hij.

Waar je ook bent, mijn lieve naamloze en gezichtsloze vreemdeling, ik wil je bedanken. Waarom zei ik dat ik niks nodig had? De omhelzing die jij me gaf was precies wat ik nodig had. Het was een omhelzing die ik graag van Jerry had gehad. Het was zo'n gebaar dat je laat voelen dat je niet alleen bent. Het waren haar twee armen die mij, op het moment dat ik dacht niet meer te kunnen, de kracht gaven om de laatste twee dagen door te komen. Maar bovenal toonde deze omhelzing mij dat, zelfs zonder mijn Jerry, er nog genoeg liefde op de wereld is en het mij zal vinden als ik het nodig heb. Ik hoef er alleen maar op te wachten.

Ann W. Compton

Liefde na een scheiding

Als je zoekt naar het goede in de ander, ontdek je het beste in jezelf.

Martin Walsh

Hij lag in de kist met kleine metalen zeemeeuwen als versiering op de zijkant. Er lagen bloemen in ontelbare kleuren over de kist tot aan de muren. Linten met 'Rust in vrede' en 'Met oprechte deelneming' waren over de bloemen heen gedrapeerd. De geur van de bloemen in deze ruimte vol mensen leek misplaatst en droeg bij aan het onderdrukte gevoel van afwachting. De herkenning van de dood creëerde een surrealistisch beeld.

De dienst begon bijna en de klanken van het orgel stierven weg. Verschillende familieleden hadden het spreekgestoelte beklommen, mooie woorden gesproken en een beeld van de verleden tijd geschetst. De opmerkingen zorgden voor tranen en onderdrukt snikken. Toen vroeg de dominee of er nog iemand van de aanwezigen iets wilde zeggen.

Ik stond op en vertelde dat ik Bonnie, de ex-vrouw van de overledene was. Ik was me bewust van het geroezemoes toen iedereen zich naar mij omdraaide, ik stond achterin. Ikzelf was nog het meest verrast dat ik opstond en sprak. Hoewel mijn gevoel door het verdriet was verdoofd, merkte ik toch de spanning van de aanwezigen over wat ik zou gaan zeggen op. Ook zij hadden verhalen gehoord van verbitterde en boze ex-familieleden, die op zulke momenten hun sarcastische rede hielden.

Tijdens ons huwelijk waren Greg en ik intieme vrienden

geworden en we deelden een rijkdom aan ervaringen. De reden van en herinnering aan de scheiding waren onbelangrijk geworden. We waren erna zelfs betere vrienden geworden.

Ik had een tijdje daarvoor een emotionele crisis doorgemaakt en Greg en zijn verloofde hadden mij veel steun gegeven. We hadden nog steeds gezamenlijk bezit. Wij werkten en speelden met zijn drieën in wederzijds respect en vriendelijkheid.

De dominee had over de jonge jaren van Greg en zijn jeugdige avonturen verteld. In tien luttele seconden tijd had hij daarbij ons zestienjarige huwelijk aangestipt en was verdergegaan met andere herinneringen. Ik kon eenvoudigweg die rijke jaren van ons samenzijn niet zomaar onvermeld laten.

Met een betraand gezicht en gesmoorde snikken, sprak ik kort maar liefdevol over onze geschiedenis en samenzijn. Ik maakte een grapje over onze geliefde Greg die graag 'onschuldig' stookte tussen mij en zijn verloofde. Ik verzekerde hun dat hij er niet ver mee kwam want wij kenden allebei zijn streken.

De meeste starende ogen verzachtten toen ze mijn tedere woorden hoorden. Hier en daar krulde een glimlach de uiteinden van de samengeknepen lippen. Ik voelde de warmte en acceptatie en ik was gerustgesteld door de hernieuwde genegenheid van hen die mij na al die jaren herkenden.

Na de dienst kwamen veel familieleden van Greg en oude vrienden naar mij toe om me te omhelzen en iets aardigs te zeggen over mijn woorden vol herinneringen. Even werden we teruggevoerd naar onze jonge jaren en relaties vol hoop en hooggespannen verwachtingen. Het was een herdenkingsplechtigheid die paste bij een man die veel te jeugdig en vol leven was om zo vroeg te sterven.

Oprechte liefde hoeft niet te lijden onder een scheiding. Dat wij onze eigen weg zijn gegaan, was een goede beslissing. Na een noodzakelijke tijd los van elkaar waren we in staat om samen te komen in een vriendschap die beter voor ons was dan het huwelijk. Ik ben dankbaar dat wij de scheiding wilden en konden omvormen waardoor er iets beters tot stand kon komen. Mijn publiek eerbetoon aan Greg op zijn begrafenis was een erkenning van een waarheid waar ik vast in geloof: hoewel de vorm van een relatie kan veranderen, hoeft de liefde niet te sterven.

Bonnie Furman

De dans

Je kunt niet kiezen hoe je sterft of wanneer. Je kunt alleen maar beslissen hoe je leeft. Doe het nu.

Joan Baez

Dar en ik hielden van dansen. Het was waarschijnlijk het eerste dat we ooit samen deden, lang voordat we ons leven deelden. We groeiden op in een kleine berggemeenschap in Oregon, waar ze bijna iedere zaterdagavond dansten. Soms in de Grange Hall, soms thuis bij Nelson Nye. Nelson en zijn familie hielden zo van muziek en dansen dat zij een uitbouw aan hun huis hadden gemaakt, groot genoeg om met minstens drie rijen tegelijk te kunnen dansen. Eens per maand, of vaker, nodigden zij de hele gemeenschap uit om te komen dansen. Nelson speelde op zijn viool en zijn dochter Hope speelde piano, terwijl de anderen dansten.

In die dagen ging iedereen, hele families, ook de grootouders, de boeren en houthakkers, de schoolmeesters en juffrouwen en de winkelier. We dansten op liedjes zoals 'Golden Slippers' en 'Red Wing', maar ook op de hits van toen zoals 'Red Sails in the Sunset' en 'It's a Sin to Tell a Lie.'

Kleine kinderen vonden als ze moe waren altijd wel een plaatsje om te slapen op de jassen. Het was een echt familiegebeuren. Een van de weinige vormen van vertier in een klein bergdorp dat langzaam van de gevolgen van de grote crisis herstelde.

Dar was zeventien en ik was twaalf jaar oud toen we voor het eerst dansten. Hij was één van de beste dansers op de dansvloer en ik ook. We dansten altijd de Jitterbug. Geen stijldansen voor ons, niets vreselijk romantisch. Onze vaders stonden naast elkaar langs de kant en keken toe. Het waren geen vrienden. Ze spraken niet met elkaar, zelfs geen dagelijkse conversatie over koetjes en kalfjes. Beiden waren goede dansers en heel trots op hun kinderen. Om de zoveel tijd verscheen er een glimlach op het gezicht van de vader van Dar en schudde hij zijn hoofd. Hij sprak dan tegen niemand in het bijzonder, maar wel zo dat mijn vader het hoorde: 'Tsjonge jonge, wat kan die knul dansen.'

Mijn vader knipperde zelfs niet met zijn ogen en deed alsof hij het niet had gehoord. Even later zei hij echter tegen niemand in het bijzonder: 'Tsjonge jonge, wat kan die meid van mij dansen.' En omdat ze van de oude stempel waren vertelden ze ons nooit dat we zo goed waren of dat ze hadden staan pochen langs de kant.

Ons dansen samen stopte vijf jaar toen Dar tijdens de Tweede wereld oorlog moest gaan vechten. Ik groeide gedurende deze vijf jaar. Toen we elkaar weer zagen was Dar tweeëntwintig en ik bijna achttien. We maakten afspraakjes en dansten weer samen.

Ditmaal was het voor onszelf, we vonden onze eigen bewegingen, onze draai, ons ritme. We pasten ze verwachtingsvol aan en hadden veel plezier. We waren even goed als vroeger en deze keer voegden we stijldansen toe aan ons repertoire.

Voor ons gold de metafoor: het leven is als een dans, je beweegt op haar ritme, je gaat een bepaalde richting uit, struikelt soms of maakt een misstap en het gaat soms langzaam en nauwgezet maar ook snel, wild en vrolijk. We deden het allemaal.

Twee avonden voordat Dar stierf was het hele gezin bij elkaar zoals het de voorgaande dagen ook het geval was geweest. De twee zonen waren er met hun vrouwen en vier van de acht kleinkinderen. We aten samen ons avondeten en Dar was erbij. Hij kon weliswaar al verscheidene weken niet meer eten, maar hij vond het gezellig. Hij vertelde grapjes, plaagde de jongens met hun kaartspel en speelde met de tweejarige Jacob.

Later, toen de meisjes in de keuken waren, draaide ik het

nummer van Nat Cole: 'Unforgettable'. Dar nam me in zijn armen en we dansten, hoe zwak hij ook was.

We hielden elkaar vast, dansten en lachten. Geen tranen voor ons. We deden wat we al vijftig jaar graag deden en hadden het zeker nog eens vijftig jaar gedaan als het lot anders had beslist. Het werd onze laatste dans en die was onvergetelijk. Ik zou die voor geen goud hebben willen missen.

Thelda Bevens

De laatste wens van Sarah

Ook al had ik profetische gaven en kende alle geheimen, wist alles wat er te weten is en had het geloof zodat ik bergen verzette, maar ik had de liefde niet, dan was ik niets.

I Corinthiërs 13:2

De dood naderde Sarah. Haar arts, een van de weinige dokters die nog op huisbezoek gaan, was net bij haar geweest en vertelde Frank, haar echtgenoot, het onvermijdelijke: 'Sarah heeft nog maar een paar uur te leven. Als de kinderen haar nog willen zien, moeten ze zo snel mogelijk komen. Frank, nogmaals: het gaat nu snel. Het spijt me. Bel me maar als je me nodig hebt.' Deze woorden brandden zich in zijn gedachten en Frank schudde zwakjes de dokters hand. 'Dank u, dokter. Ik zal bellen.'

'Een paar uur,' spookte het door zijn hoofd, toen hij de aardige arts zag wegrijden. Het werd al donker en Frank liep alleen naar de achtertuin. Daar stond hij met opgetrokken schouders en gebogen hoofd en huilde hartstochtelijk. Hoe kon hij zonder Sarah verder leven? Hoe kon hij het redden zonder haar gezelschap? Zij was zo'n uitstekende vrouw en moeder geweest. Het was altijd Sarah die de kinderen meenam naar de kerk. Zij was het die de rots in de branding was ten tijde van crisis. Het was Sarah die de blauwe plekken, schrammen, gekneusde enkels en gebroken harten van de kinderen had geheeld. Haar moederkusjes waren ook een medicijn voor vele kinderkwaaltjes geweest. Zij was het die van hem een beter mens had gemaakt. Toen hij in staat was zijn tranen weg te slikken liep hij terug naar het huis en vroeg zijn dochter de andere kinderen, die dichtbij woonden, te roepen. Zij waren er allemaal heel snel, drie dochters en twee zonen. 'Ze zijn er, Sarah. Ze zijn er allemaal.'

Sarahs haalde moeilijk adem. Kanker had de eens zo lieftallige gezonde vrouw in een skelet veranderd, maar haar vechtersaard was er nog steeds. 'Frank, ik wil een paar minuten alleen zijn met ieder van hen.' Sarah sprak zwakjes. Frank bewoog snel terwijl hij antwoordde: 'Ik zal ze gelijk halen, Sarah.'

Frank verzamelde de kinderen, allen twintigers en dertigers, in de lange gang voor Sarahs slaapkamer. Eén voor één gingen ze naar binnen om samen met hun moeder te zijn. Sarah sprak liefdevol met ieder van hen en ze vertelde hoe bijzonder hij of zij was geweest als haar zoon of dochter. Ze hadden allemaal een paar kostbare minuten met die lieve moeder, terwijl het leven haar ontglipte.

Nadat de laatste was geweest kwam de pastoor. Frank begroette hem bij de deur en begeleidde hem naar haar bed. Sarah sprak kort met hem over de familie, de hemel, het geloof en over het feit dat ze niet bang was om te sterven. Ze was er klaar voor om naar de hemel te gaan, maar ze verafschuwde de gedachte dat haar familie zou achterblijven, vooral Frank. Toen hielden Sarah, Frank, de pastoor en de kinderen elkaars hand vast en spraken een gebed uit. Frank liet de pastoor uit en vertelde hem: 'Het zal niet lang meer duren. De dokter zegt dat het nu alleen nog een kwestie van uren is, korte uren vermoed ik.'

Sarah vroeg haar kinderen na dit bezoek: 'Ga je vader maar halen. Ik heb nu met iedereen gesproken behalve met hem.' De kinderen verlieten de kamer snel en Frank kwam terug. Toen ze alleen waren, vertelde Sarah haar oprechte wens aan haar geliefde man: 'Frank, je bent een goede man en vader geweest. Je bent naast me blijven staan in deze laatste maanden van lijden en ik hou daardoor nog meer van jou. Er is echter iets dat me dwarszit. Jij bent nooit met de kinderen en mij naar de kerk geweest. Ik weet wel dat je een goed mens bent, maar ik heb de kinderen gevraagd mij in de hemel te ontmoeten omdat ik wil dat wij samen weer een gezin zullen zijn. Je bent de enige over wie ik me zorgen maak, Frank. Ik kan niet sterven zonder te weten dat jij met God in het reine bent gekomen.' Hete tranen van liefde en medelijden stroomden over Sarahs wangen.

Frank was een man die altijd had moeten knokken voor zijn kleine eigen bedrijf. Hij was een heel pragmatisch iemand die lange dagen maakte. Zijn weinige bezittingen had hij op een harde manier verkregen. Hij had vijf kinderen moeten onderhouden en laten studeren en hij en Sarah hadden daardoor niet veel aardse goederen gekregen. Daarnaast hield Frank niet echt van emoties en hij vond kerkdiensten een beetje te emotioneel voor hem. Eigenlijk had hij niet zoveel tijd voor God.

'Frank,' vervolgde Sarah, 'vertel me alsjeblieft dat je bij mij en de kinderen in de hemel zult komen. Alsjeblieft, kom in het reine met God, Frank.' Zijn hart smolt door deze lieve woorden en deze grote man met zijn ruwe handen huilde toen hij langzaam naast haar bed knielde. Frank pakte Sarahs tere hand in de zijne en sprak een gebed van vergeving en liefde uit dat het hart van God raakte.

Hij stond op en ging op de rand van het bed zitten, pakte het magere lichaam van zijn dierbare vrouw in zijn armen en hield haar nog een keer vast. Ze huilden samen en uit de grond van zijn hart sprak Frank: 'Ik zal er zijn, Sarah. Ik zal je in de hemel tegenkomen. We zullen weer samen een familie zijn. Maak je geen zorgen. Ik zal er zijn, Sarah. Dat beloof ik.'

'Nu kan ik in vrede sterven,' fluisterde zij. Hij legde haar zachtjes weer terug op het kussen en riep de kinderen de kamer in. Frank liep alleen naar de tuin. Dat was zijn plekje om te huilen en hij zuiverde zijn gemoed nogmaals met tranen. Daarna ging hij terug naar Sarahs kamer om met de kinderen een dodenwake te houden.

De ademhaling van Sarah werd lichter en lichter en terwijl ze stierf fluisterde Frank in haar oor: 'Ik hou van je, Sarah en ik zal er zijn.' De engelen van genade kwamen en namen haar mee en op het moment dat Sarah de aarde voor de hemel verruilde, glimlachte ze.

De dood was zwaar voor Sarah, maar ze had er vrede

mee, omdat de man van wie ze zolang had gehouden beloofde: 'Ik zal er zijn, Sarah. Ik zal er zijn.'

Ray L. Lundy

Een laatste kus van Rose

Het enige waar we nooit genoeg van kunnen krijgen is liefde.
En het enige dat we nooit genoeg kunnen geven is liefde.

Henry Miller

Meneer Kenney kwam regelmatig op onze ziekenhuisafdeling. Hij was een gepensioneerde directeur, een weduwnaar en kanker had zijn tol geëist de afgelopen jaren. De kanker had zich van zijn darm uitgezaaid over al zijn vitale organen. Ditmaal was het waarschijnlijk zijn laatste bezoek en ik vermoed dat hij dat wist.

Het is bekend dat sommige patiënten een probleem zijn voor de verpleging, omdat hun gedrag verandert als gevolg van ernstige ziektes. Als mensen lijden zijn ze zich niet bewust van de waarde van hun woorden en wat ze anderen aandoen en ze schieten tegen de eerste de beste, die hun kamer binnenkomt, uit hun slof.

De verpleging beseft deze dingen heel goed. De meest ervaren krachten weten hoe ze in zulke gevallen moeten reageren. Natuurlijk zijn er ook de groentjes op de afdeling en dan spreek ik over mezelf. Tijdens de overdracht spraken alle verpleegsters over meneer Kenney en er waren speciale stafbesprekingen over hoe te reageren op zijn extreme gedrag. Iedereen probeerde zo min mogelijk tijd op zijn kamer te zijn. Soms gooide hij voor het minste of geringste dingen naar de verpleegsters en andere personeelsleden.

Op een avond hadden we onze portie wel gehad met verschillende spoedopnames op de toch al overvolle afdeling chirurgie. Meneer Kenney koos juist deze avond om zijn medicatie te weigeren en wierp met ieder voorwerp wat hij maar te pakken kon krijgen en vloekte de longen uit zijn lijf. Het was ongelooflijk dat een man van eenentachtig die een terminale ziekte had, zo'n volume kon bereiken en zoveel schade kon veroorzaken.

Terwijl ik behoedzaam zijn kamer binnenkwam begon ik met hem te praten: 'Wat kan ik voor u doen, meneer Kenney? Wat is het probleem? Er is hier zoveel lawaai dat zelfs de bezoekers bang zijn. Ik weet niet wat ik ervan moet denken. De andere patiënten proberen te slapen.'

Een ontstemde meneer Kenney zette het volgende projectiel (dat hij naar mij had willen werpen) neer en vroeg me eventjes in de stoel naast het bed te gaan zitten. Hoewel ik wist dat ik eigenlijk geen tijd had zei ik toch: 'Oké.'

Toen ik op het puntje van de stoel was gaan zitten, vertelde meneer Kenney iets over zichzelf. 'Niemand begrijpt hoe moeilijk het is. Ik voel me al zo lang niet goed. Het is zo lang geleden dat er iemand echt de tijd heeft genomen om naar me te kijken, naar me te luisteren en voor me te zorgen.'

Er volgde een lange stilte en ik vroeg me af of dit het moment was om beleefd te vertrekken, maar ik durfde het niet. Iets vertelde me dat ik bij deze man moest blijven.

Na een tijdje, dat wel een uur leek te duren, zei hij: 'Het is zo lang geleden dat Rose bij me was. Mijn lieve, zachte Rose. We kusten elkaar iedere avond goedenacht en dan was alles goed. Het maakte niet uit wat er die dag was voorgevallen, de kus van Rose maakte alles weer goed. O God, ik zou er heel wat voor over hebben om nog een kus van Rose te krijgen.' Toen begon meneer Kenney te huilen.

Hij hield mijn hand vast en zei: 'Je denkt zeker dat ik gek ben, maar ik weet dat mijn leven voorbij is. Ik kijk ernaar uit om weer bij mijn Rose te zijn. Mijn leven is sowieso een hel op deze manier. Ik waardeer het echt dat je de tijd neemt om naar mij te luisteren, echt luisteren. Ik weet dat je het razend druk hebt. Ik weet dat jij om de mensen geeft.'

'Ik vind het helemaal niet erg. Is er trouwens iets dat ik voor u kan doen, terwijl ik u de medicatie geef?'

'Noem me alsjeblieft Joseph,' zei hij en hij rolde zich behulpzaam op zijn zij. Ik gaf hem de injecties en hij dacht even na voordat hij antwoord gaf op mijn vraag. Toen zei hij: 'Ik heb een laatste verzoek aan jou.'

'Wat is dat dan, Joseph?'

Hij boog zich over de rand van het bed en fluisterde: 'Zou jij me een goedenachtkus willen geven? Door de kus van Rose voelde ik me altijd veel beter. Zou jij mij alleen maar een goedenachtkus willen geven? Alsjeblieft? O God, ik zou er alles voor over hebben om een kus van Rose te krijgen.'

Ik liep om het bed heen en gaf hem een zoen op zijn wang. Het voelde goed om deze stervende man, in plaats van zijn Rose, een kus te geven.

Tijdens de overdracht de volgende dag vertelde de verpleegster dat meneer Kenney die nacht vredig was ingeslapen. Het is mooi te weten hoe sterk echte liefde kan zijn, om onafscheidelijk te zijn, zelfs na de dood. Ik was vereerd dat meneer Kenney mij had gevraagd hem nog een laatste kus van Rose te geven.

Laura Lagana

Leven zonder Michael

De herinnering is een geschenk van God dat de dood niet kan wegnemen.

Kahlil Gibran

Ik heb veel geleerd van Michael Landon en ik weet nu dat ik mijn kracht van hem heb gekregen. Een paar weken voor hij stierf schreef hij zijn afscheidswoorden voor mij in een wensenboek voor moederdag. Het is speciaal voor mij en ik lees het vaak. Hij schreef erin: 'Wees sterk. Sta stevig in je schoenen. Leef het leven, heb het lief en wees gelukkig.' Michael had al eerder gezegd dat ik niet te lang moest treuren. Dat probeer ik wel, maar het verlies van een mens zoals Michael is iets dat je altijd met je meedraagt.

Je worstelt iedere dag met het verlies van iemand van wie je houdt. Onze vijf jaar oude zoon Sean vond het in het begin moeilijk om over zijn vader te praten. Onlangs is hij weer naar Michael gaan kijken op tv en kan toegeven dat hij hem mist. Vanochtend nog vertelde hij dat hij zijn papa zo erg mist dat zijn buik er pijn van doet. Jennifer is acht jaar en voor haar is het ook moeilijk geweest. Alledrie zijn we in therapie en we nemen het leven zoals het dag na dag komt.

De kinderen en ik gaan vaak naar het kerkhof. We brengen Michael dan brieven, waarin we schrijven hoe we ons voelen en wat er in ons leven gebeurt. Ik voel me thuis echter dichter bij hem. Daar zijn in elke kamer foto's van hem en hangen zijn kleren nog steeds in de kast, net zoals hij ze heeft achtergelaten. Hier was Michael graag. Ik verwacht dan ieder moment dat hij gewoon binnenkomt. Soms, zeker als ik naar bed ga, zou ik willen dat hij boven op me wachtte en we samen over de afgelopen dag zouden kunnen praten.

Ik ontmoette Michael voor het eerst toen ik negentien was. Ik was ingehuurd als stand-in voor de serie *Het kleine huis op de prairie*. Ik zag op wat voor manier hij met iedereen omging en werd vreselijk verliefd op hem. Op een avond, twee jaar daarna, kwam hij na een feestje op de set naar mijn appartement. Vanaf die tijd waren we samen.

Michael en ik zijn in 1983 op Valentijnsdag getrouwd. Hij was de beste, sterkste, zorgzaamste en grappigste echtgenoot. Michael was ook huiselijk. Ieder dag belde hij, voordat hij bij de studio vertrok, of we nog boodschappen nodig hadden. Hij kwam thuis met zijn armen vol lekkers. Hij hield van koken en vaak nam hij het roer over in de keuken. Zijn specialiteiten waren Italiaanse gerechten zoals spaghetti en kip cacciatore.

Hij was een even goede vader als echtgenoot. Ik vond het heerlijk om te zien hoe hij met de kinderen speelde, vooral tijdens de vakanties. Op Hawaii leerde hij hun steentjes over het water te laten scheren en was net zoals de kinderen opgetogen als zij een mooie schelp of een klein heremietkreeftje ontdekten. Hij speelde letterlijk uren in zee met Jennifer en Sean. Alles leek perfect. Michael hield van ons leven en van zijn werk. Hij was altijd ontzettend gezond en we verheugden ons erop samen oud te worden.

In februari 1991 kreeg Michael pijn in zijn buik. Het was altijd moeilijk om hem naar een dokter te krijgen, maar ik maakte toch een afspraak en hij werd onderzocht op een maagzweer. Er werd niets gevonden en ze gaven hem een medicijn dat een tijdje hielp.

Begin april kwam de pijn terug. Vier dagen later, 5 april, kregen we de resultaten van een biopsie: kanker aan de alvleesklier met uitzaaiingen naar de lever.

Als ik terugkijk geloof ik dat Michael al wist dat hij het niet zou overleven. Deze kankervorm is snel en dodelijk en heeft maar een overlevingskans van vijf jaar van slechts 3 procent. Ik was boos en verbijsterd. Waarom gebeurde dit? Michael bekeek het zoals altijd nuchterder. Vanaf het moment dat de diagnose werd gesteld tot de dag dat hij stierf, was hij nooit boos. Hij vertelde me eens: 'Het is God niet die het doet. Het is de ziekte. God geeft geen kanker.' Voor hem was de dood niet iets om bang voor te zijn, maar hij wilde nog niet sterven. Hij wilde iedereen van wie hij hield niet achterlaten.

We bespraken het vanaf het begin met de kinderen. Michael en ik riepen zijn oudere kinderen bij elkaar om hun te vertellen wat er aan de hand was, daarna vertelden we het de twee kleintjes. We vertelden hun dat papa een ernstige vorm van kanker had en dat hij erg z'n best zou doen om ertegen te vechten, maar we konden niets beloven. Sean was erg kalm. Ik weet niet of hij het echt begreep. Jennifer leek het ook goed op te vatten, maar later bleek wel dat ze vanbinnen leed. Ze had buikpijn, hoofdpijn en angstaanvallen.

Dit waren de eerste momenten voor de storm, de orkaan van media-aandacht die over ons heen kwam zodra het nieuws van Michaels ziekte bekend werd. Fotografen bestookten ons huis en het ziekenhuis. Ze klommen over de muren en gluurden door de ramen. De roddelbladen schreven vreemde verhalen. Bijna iedere week stond er wel een nieuwe versie in. De ene keer vertelden ze dat Michael nog maar vier weken te leven had. Een andere keer meenden ze dat de kanker naar zijn darmen was uitgezaaid. Geen van beide was waar. In diezelfde tijd reageerde het publiek met medelijden en liefde. We ontvingen een stortvloed aan brieven, zo'n twaalfduizend per week. Michael was hiervan diep onder de indruk en hij vertelde me: 'Dit is de eerste keer dat ik besef hoeveel levens ik ben binnengekomen.'

In minder dan een maand verdubbelde de kanker in grootte. Voor het eerst realiseerden we ons dat Michael ging sterven. Die middag waren we dicht bij elkaar. Ik lag met mijn hoofd in zijn schoot en huilde. Michael streelde mijn haar en fluisterde: 'Ik weet het. Ik weet het.'

Hoewel hij eerst niet wilde ging hij er uiteindelijk mee akkoord om een experimentele chemotherapie te ondergaan. Hij haatte het en ik denk dat hij het niet zou hebben gedaan als wij er niet waren geweest. Hij deed een laatste poging om te overleven.

Zijn gezondheid ging echter steeds verder achteruit en op vaderdag, 16 juni, was het iedereen duidelijk dat we hem niet lang meer onder ons zouden hebben. De voorgaande jaren kochten we cadeautjes zoals tennisrackets. Dit jaar waren er pyjama's en prachtige zelfgemaakte kaarten. De hele familie kwam hem bezoeken.

Vlak na vaderdag vertelde Michael mij dat hij nog maar een week te leven had. Deze laatste week ging zijn gezondheid nog verder achteruit. Toen, op een zondagmorgen, 30 juni, vertelde de verpleegster me dat het einde nabij was. Ik riep Michaels kinderen en beste vrienden bijeen. De artsen hadden de hoeveelheid morfine en Percocet verhoogd. Michael was slaperig en was niet steeds bij kennis. Gedurende deze laatste dag nam iedereen op zijn eigen wijze afscheid en vertelde Michael dat het goed was. Als hij klaar was om te sterven, dan mocht hij het leven loslaten.

De volgende ochtend was hij in een droomtoestand en we waren allemaal in de slaapkamer. Plotseling ging hij rechtop zitten en zei: 'Hoi. Ik hou van jullie.' Even later vroeg hij aan iedereen om weg te gaan, zodat wij alleen konden zijn. Als ik erop terugkijk geloof ik dat hij klaar was om te sterven en dat hij het niet in het bijzijn van de hele familie wilde.

Ik bleef bij hem en wachtte op het onafwendbare. Hij leek soms in een trance te raken. Ik vroeg hem: 'Weet je wie ik ben?' Hij keek me aan en antwoordde: 'Ja.' Ik zei toen: 'Ik hou van je.' Hij reageerde met: 'Ik hou ook van jou.' Dat waren z'n laatste woorden. Een paar seconden later stopte zijn ademhaling.

Ik was als verdoofd en bleef nog even bij hem zitten, voordat ik naar beneden ging om de anderen te vertellen dat hij overleden was. Veel tijd voor beschouwingen was er niet. Alsof ze het wisten cirkelden de helikopters boven onze hoofden met de pers aan boord. Plotseling hoorden we buiten schreeuwen. Jennifer was boven op de schommel geklommen en schreeuwde: 'Niet mijn vader. Niet mijn vader. Ik wil niet dat mijn vader doodgaat.' Ik zei de anderen haar haar gang te laten gaan, omdat ik wilde dat ze het kon uiten. Al snel klom ze eruit en lag in mijn armen te huilen.

Even later arriveerde de begrafenisondernemer. Toen ze

het lichaam van Michael meenamen wist ik dat hij nooit meer terug zou komen. Dat was het definitieve ervan, Michael was weg.

Die nacht sliepen de kinderen bij mij. Jennifer en ik droegen shirts van Michael als nachthemd. Het was alsof ik nergens meer bij hoorde, ik paste er niet meer bij. Ik was totaal verloren en eenzaam.

Het beste dat ik kon doen was weggaan, dus nam ik de kinderen voor vier weken mee naar Hawaii. We gingen naar een plaats die Michael en ik prachtig hadden gevonden. Het was moeilijk want hij was er niet bij, maar het was nog moeilijker om thuis te komen wetende dat hij niet op ons wachtte.

Het gaat nu al wat beter met ons, maar het vraagt tijd. De kinderen slapen soms nog bij me, maar niet zo vaak als voorheen. Ze lijken nu alleen meer geknuffeld te willen worden. Ik heb nog steeds van die moeilijke momenten. Een paar dagen geleden was ik op de snelweg en nam de verkeerde afslag. Ik kwam uit bij de studio. Dat was de plek waar de kinderen en ik hem vaak bezochten. Het was een deel van ons leven. Michael is nu weg en onze levens veranderen.

Het is vreemd, maar voordat Michael stierf was ik bang voor de dood. Ik maakte me altijd zorgen over ziektes of was bang om in vliegtuigen te stappen. Nu ben ik niet bang meer. Het leven is te kort. Je weet het niet en daarom kun je maar beter er het beste van maken.

De eerste gedachte die bij mij opkomt als ik aan Michael denk, is dat hij het leven leuk kon maken en dat hij vreselijk veel van zijn gezin hield. We hadden een goed huwelijk; hij was er altijd voor mij en ik was er voor hem. Nadat de diagnose was gesteld, vertelde hij eens dat, hoe het ook zou aflopen, hij terug kon kijken op een bijzonder leven en veel geluk. Ik mis Michael iedere dag, maar ik weet dat waar hij ook is, hij gelukkig is en het goed gaat met hem en dat ik hem op een dag weer zal zien.

Cindy Landon
met Kathryn Casey

Het laatste afscheid

Ik probeerde dichter bij jou te komen, ik riep je met heel mijn hart, en toen ik op weg ging naar jou, zag ik dat jij naar mij toekwam.

Judah Halevi

De ziekenhuiskamer, stil en duister, was een beetje onecht voor mij geworden terwijl de dag langzaam voortschreed. Het leek alsof ik getuige was van een schouwspel in een verduisterd theater. De scène was echter de trieste realiteit. Mijn broer, zus en ik zaten elk verloren in onze eigen gedachten en keken stilletjes naar mijn moeder die aan de bedrand van mijn vader zat en zijn hand vasthield. Ze sprak zachtjes met hem, hoewel hij niet bij bewustzijn was. Onze vader was, na een jarenlang gevecht met geduldig pijn lijden en strijden tegen een dodelijke ziekte, die ochtend rustig in een coma gegleden. We wisten dat zijn stervensuur niet ver meer was.

Moeder stopte met praten en ik zag dat ze naar haar ringen keek en ze glimlachte. Ik ook, want ik begreep dat ze dacht aan het ritueel dat de veertig jaar van hun huwelijk had geduurd. Moeder, energiek en altijd bezig had haar trouw- en verlovingsring altijd omgedraaid zitten. Mijn vader, kalm en ordelijk, draaide die ringen dan weer goed. Hoewel hij gevoelig en liefdevol was kwamen de woorden 'Ik hou van jou' niet makkelijk over zijn lippen. Daarom uitte hij zijn gevoel op andere kleine manieren, zoals deze jarenlange handeling.

Mijn moeder draaide zich naar ons om en zei met verdrietige stem: 'Ik weet dat jullie vader ons snel zal verlaten, maar hij glipte zo snel weg dat ik geen afscheid van hem heb kunnen nemen en hem voor het laatst kon zeggen dat ik van hem hou.'

Ik boog mijn hoofd en verlangde ernaar te kunnen bidden om een wonder dat hun de mogelijkheid zou geven hun liefde voor het laatst te delen, maar mijn hart was zo vol dat de woorden niet kwamen.

We moesten alleen nog maar wachten. De nacht viel en één voor één dommelden we in en de kamer was stil. Plots werden we gewekt. Mijn moeder was gaan huilen. We vreesden het ergste en stonden op om haar te troosten. Tot onze verrassing zagen we dat ze huilde van vreugde. Toen we haar blik volgden zagen we dat zij nog steeds vaders hand vasthield, maar dat hij zijn andere hand een beetje had bewogen en nu rustte op die van haar.

Ze lachte door haar tranen heen en legde uit: 'Hij heeft me even aangekeken' – ze pauzeerde en keek naar haar hand – 'en toen deed hij mijn ringen goed.'

Een uur later stierf vader. God had in zijn oneindige wijsheid geweten wat in onze harten leefde, zonder dat we erom hoefden te vragen. Onze gebeden waren zo verhoord dat we de gedachte eraan ons hele leven lang zouden koesteren.

Moeder had haar laatste afscheid gekregen.

Karen Corkern Babb

Wie is Jack Canfield?

Jack Canfield is een vooraanstaand Amerikaans deskundige op het gebied van persoonlijke ontwikkeling en zelfverwezenlijking. Hij is een dynamisch en onderhoudend spreker en een veelgevraagde trainer. Hij heeft het bijzondere vermogen om zowel zijn toehoorders te informeren als te inspireren om hun zelfbeeld en prestaties te verbeteren.

Hij heeft een aantal video's en cassettebandjes gemaakt, waaronder *Self-Esteem and Peak Performance, How to build High Self-Esteem*, *Self-Esteem in the Classroom en Chicken Soup for the Soul – Live*. Hij verschijnt regelmatig op de televisie in shows als *Good Morning America*, *20/20* en *NBC Nightly News*. Hij heeft talrijke boeken geschreven, waaronder de serie *Chicken Soup for the Soul* (Nederlandse vertaling: *Balsem voor de ziel*), *Dare to Win* en *The Alladin Factor* (allemaal met Mark Viktor Hansen*), 110 Ways to Build Self-Esteem in the Classroom* (met Harold C. Wells) en *Heart at work* (met Jaqueline Miller).

Jack houdt regelmatig lezingen voor professionele organisaties, scholen, overheidsinstellingen, kerken, ziekenhuizen, verkooporganisaties en bedrijven. Enkele bedrijven die van zijn diensten gebruik hebben gemaakt, zijn American Dental Organisation, American Management Organisation, AT&T, Campbell Soup, Clairol, Domino's Pizza, GE, ITT, Hartford Insurance, Johnson & Johnson, the Million Dollar Roundtable, NCR, New England Telephone, Re/Max, Scott Paper, TRW en Virgin Records. Jack is tevens verbonden aan een bedrijfskundige opleiding, Income Builders International.

Jack leidt jaarlijks een acht dagen durend Training of Trainers-programma op het gebied van zelfwaardering en topprestaties, waar veel docenten, adviseurs, opvoedkundigen, bedrijfstrainers, beroepssprekers, geestelijken en anderen gebruik van maken die er belang bij hebben hun spreekvaardigheid en deskundigheid te ontwikkelen.

Wie is Mark Viktor Hansen?

Mark Viktor Hansen heeft in de meer dan twintig jaar dat hij lezingen geeft, zijn kennis en ervaring op het gebied van verkooptechnieken en persoonlijke groei gedeeld met meer dan twee miljoen mensen in tweeëndertig landen. In ruim vierduizend presentaties heeft hij mensen geïnspireerd om voor zichzelf een krachtiger en positiever toekomstbeeld te scheppen, hun inkomen te verdrievoudigen en hun vrije tijd te verdubbelen, en daarnaast ook de verkoop van miljarden dollars aan goederen en diensten gestimuleerd.

Mark is een zeer productief schrijver en heeft *Future Diary, How to Achieve Total Prosperity* en *The Miracle of Tithing* op zijn naam staan. Hij heeft meegewerkt aan de *serie Chicken Soup for the Soul* (Nederlandse vertaling *Balsem voor de ziel*) en samen met Jack Canfield *Dare to Win en The Aladdin Factor* geschreven. Met Joe Batten schreef hij *The Master Motivator*.

Mark heeft ook een hele bibliotheek met educatieve cassettes en videobanden geproduceerd waarmee mensen hun aangeboren talenten kunnen leren gebruiken in de zakelijke en persoonlijke sfeer. Zijn boodschap heeft hem tot een populaire radio- en televisiepersoonlijkheid gemaakt. Hij heeft ook op de omslag van en in verscheidene tijdschriften gestaan, o.a. *Success, Entrepeneur* en *Changes*.

Mark is een groot man met een net zo groot hart en geest – een inspiratie voor iedereen die aan zichzelf wil werken.

Wie is Barbara De Angelis?

Barbara De Angelis, is internationaal erkend als een vooraanstaand deskundige op het gebied van menselijke relaties en persoonlijke groei. Als een succesvol auteur, televisiepersoonlijkheid en veelgevraagd spreker heeft zij wereldwijd miljoenen mensen bereikt met haar positieve boodschap over liefde, geluk en de zoektocht naar de betekenis van ons leven.

Barbara is auteur van negen bestsellers, waarvan er vier miljoen zijn verkocht en wereldwijd in twintig talen zijn vertaald. Haar eerste boek, *How to Make Love All the Time*, was een nationale bestseller. Haar twee volgende boeken, *Secrets About Men Every Woman Should Know* en *Are You the One for Me?*, stonden lang nummer één op de lijst van bestsellers van de *New York Times*. Haar vierde boek, *Real Moments*, was ook al direct een *New York Times*-bestseller en werd gevolgd door *Real Moments for Lovers*. Haar meest recente boeken zijn *Passion, Confidence*, *Ask Barbara* en *The Real Rules*.

Barbara is twee jaar lang wekelijks te zien geweest bij CNN als de Newsnight-relatiedeskundige die haar advies wereldwijd per satelliet gaf. Ze heeft haar eigen dagelijkse televisieshow gehad voor CBS TV en haar eigen populaire radiopraatprogramma in Los Angeles. Regelmatig was ze te gast bij de tv-programma's *Oprah*, *Leeza*, *Geraldo* en *Politically Incorrect*. Barbara schreef en produceerde zelf haar eerste televisie-infomercial, *Making Love Work*. Ze kreeg daarvoor vele onderscheidingen en het is het meest succesvolle relatieprogramma dat er is. Het wordt door een half miljoen mensen over de hele wereld gebruikt.

Twaalf jaar lang was Barbara directeur van het door haar

opgerichte Los Angeles Growth Center. Ze werd doctorandus in de psychologie aan de Sierra University in Los Angeles en behaalde haar doctorstitel aan de Columbia Pacific University in San Francisco. Barbara is bekend als iemand die haar vitaliteit, warmte, humor en inspirerende aanwezigheid deelt met haar publiek.

Wie zijn Mark en Chrissy Donnelly?

Als man en vrouw zijn zij het voorbeeld van liefhebbende echtparen die in deze *Balsem voor twee zielen* worden geportretteerd. Mark en Chrissy Donnelly begonnen hun huwelijk met de beslissing zoveel mogelijk tijd met elkaar door te brengen – in werk en vrije tijd. Mark vertelt uitvoerig hoe ze tijdens hun huwelijksreis op Hawaii tientallen plannen hadden om hun aparte werkkring te verlaten en te gaan samenwerken in betekenisvolle projecten. Het samenstellen van een boek over liefhebbende paren was slechts één van de ideeën.

Mark en Chrissy vertellen dat het 'Balsem voor twee zielen-project' hen nog dichter bij elkaar heeft gebracht, door de ervaring van de ontmoeting met andere liefhebbende paren en het lezen van hun verhalen, ook die honderden die niet gekozen zijn voor het definitieve boek. Dit resulteert in het streven van de Donnelly's om nog meer tijd samen door te brengen en voortdurend nieuwe wegen te leren om liefde en verbondenheid in hun dagelijkse leven in praktijk te brengen.

Als actieve deelnemers aan het succes van de 'Balsem voor de ziel-serie' zijn Mark en Chrissy momenteel bezig aan vier nieuwe titels. Mark geeft ook leiding aan The Donnelly Marketing Group, om de boodschap van de 'Balsem voor de ziel' aan alle mensen over heel de wereld te verspreiden door middel van speciale projecten. Mark is voormalig vice-president van de afdeling Marketing van zijn succesvol familiebedrijf in bouwmaterialen. Chrissy was een accountant bij Price Waterhouse.

Ze wonen in Paradise Valley, Arizona.

Anderen die aan dit boek hebben meegewerkt

SUSAN AGER schrijft in de *Detroit Free Press* als columniste over woon- en leefstijlen. Ze schrijft over de keuzes die mensen maken. Ze is dertien jaar met dezelfde man getrouwd en heeft vele vrienden en familieleden om haar heen zien worstelen om van (echt)paar weer vrijgezel te worden.

'Blijven lachen' is het motto van LAURA JEANNE ALLEN. Zij studeert journalistiek aan de universiteit van Missouri-Columbia. Laura komt uit Rochester, in de staat New York. Haar 'olie' is opgedragen aan haar overleden grootmoeder, Alice McAndrews, en aan de anderen van wie het verhaal nooit wordt verteld. Met speciale dank aan haar nummer een- en twee-fans en die bijzondere man met wie zij haar ziel deelt.

KAREN CORKERN BABB woont in Baton Rouge, in de staat Louisiana. Ze woont daar met haar man, Barry en een roodharige van vijf jaar, Collin Gabriel. Zij is de algemeen directeur van de Vereniging van Musea in Louisiana. Karen is afgestudeerd in kunstgeschiedenis aan de Louisiana State University en heeft haar doctoraaldiploma in museumwetenschappen behaald aan de Texas Tech University, met de specialisatie: bestuurskunde. Ze heeft al verschillende posities binnen de musea bekleed, maar haar meest recente was die als eerste professionele directeur van het West Baton Rouge Museum. De laatste vijf jaar zijn enerverend geweest en hebben veel leerervaringen gegeven, in het gevecht dat haar gezin leverde tegen de kanker van haar man. Deze strijd is succesvol geweest. Dit en het verhaal van het sterven van haar vader en het laatste afscheid van haar ouders herinneren haar er altijd aan dat ze dankbaar moet zijn dat haar laatste afscheid nog niet nodig was.

MAGGIE BEDROSIAN heeft een eigen zaak en coacht leidinggevenden en richt zich hierbij op het helpen van mensen hun gestelde doelen met een natuurlijk gemak te bereiken. Ze heeft drie boeken geschreven, waaronder *Life is More Than Your To-Do List: Blending Business Success with Personal Satisfaction*. Maggie is voorzitter geweest van de American Society for Training and Development in Washington, D.C. en van de Writing/Publishing Group of the National Speakers Association.

Het werk van CAROLE BELLACERA is gepubliceerd in tijdschriften en kranten, zoals *Woman's World*, *Endless Vacation* en *The Washington Post*. Haar eerste roman, *Border Crossings*, verscheen bij Forge Books.

THELDA BEVENS is zeventig jaar en een gepensioneerd docente Engels op de middelbare school. Ze woont in Bend, Oregon. Ze is moeder van twee zonen en heeft zeven kleinkinderen. Haar man, Darwin, is in 1993 overleden aan kanker. Ze waren zevenenveertig jaar getrouwd. Thelda schreef haar verdriet, herinnering voor herinnering, van zich af. Na jaren van verdriet en troost is ze nu dankbaar en gelukkig een nieuw leven te kunnen beginnen met haar echtgenoot, Wayne Wiggings.

DON BUEHNER heeft een eigen zaak en woont samen met zijn vrouw en zes maanden oude zoon, Teancum, in Salt Lake City, Utah. Don heeft een MBA-opleiding gedaan op BYU. Dit verhaal draagt hij op aan zijn dochter, Cesca Alice (1994-1997).

KATHARINA BYRNE is de weduwe van het schoolhoofd van een school in Chicago. Ze is moeder van vijf kinderen en heeft negen kleinkinderen. Er zijn al meer dan vijftig verhalen van haar hand verschenen in kranten en tijdschriften. Momenteel is ze juridisch assistent bij een van haar dochters.

DIANA CHAPMAN is veertien jaar lang een journalist geweest en heeft o.a. bij de *San Diego Union*, de *Los Angeles Copley Newspapers* en de *Los Angeles Times* gewerkt. Haar specialiteit is human interest-verhalen. Op dit moment werkt ze aan een boek met onderwerpen over de gezondheid, omdat in 1992 bij haar multiple scleroses is geconstateerd. Ze is negen jaar getrouwd en heeft een zoon, Herbert 'Ryan' Hart.

SHARI COHEN heeft al elf boeken gepubliceerd voor kinderen en jong volwassenen en ze schrijft ook over het gezinsleven. Haar artikelen zijn in verschillende nationale vrouwentijdschriften en kranten verschenen. Shari heeft recentelijk een verhaal geschreven voor *Chicken Soup for the Mother's Soul*. Ze woont met haar man Paul en hun drie tieners, Barry, Adam en Stephanie, in Woodland Hills, Californië.

ANN W. COMPTON is een accountant bij de Pulliam Investment Company. Na de dood van haar man is ze weer gaan studeren en ze volgde enkele colleges 'Schrijven'. Ze was ook redactielid van het universiteitsblad. In aansluiting hierop schreef ze artikelen in de nieuwsbrief van het plaatselijke ziekenhuis. Ze schreef het verhaal 'Wachten' om aan te geven hoe belangrijk het is om hulp te verlenen aan zowel de verzorgers als de patiënten.

KAREN CULVER is de auteur van verschillende romantische boeken. Zij vindt dat zij dankzij haar ouders kan schrijven over liefdevolle en toegewijde relaties.

MAXINE M. DAVIS is geboren in Salem, in de staat Oregon. Ze studeerde in 1953 af aan de Samaritan Hospital School of Nursing en was van 1953-1954 hoofdverpleegster van de operatiekamer in het Blue Mountain Hospital. Maxine trouwde in 1954 met Harold en ze kregen twee kinderen, Jacqueline en Julie. Tien jaar lang bleef ze voor de kinderen thuis. In 1964 ging ze weer de verpleging in. Ze werkte op de operatiekamer in het Southern Oregon Medical Center en toen ze, in 1994, met pensioen ging was ze directeur van de chirurgische afdeling. Maxine heeft deel uitgemaakt van de volgende organisaties: Association of Operating Room Nurses, Coalition for Kids, Citizens Review Board, Rotary International en Northwest Medical teams. Ze heeft vijf kleinkinderen.

T. SUZANNE ELLER is moeder van Leslie, Ryan en Melissa. Allen tieners nu. Zij en Richard vierden vorig jaar hun negentienjarig huwelijk. Ze overleeft haar borstkanker nu voor het zevende jaar. In deze tijd heeft ze haar droom om freelance te schrijven, doen uitkomen. Er is in verschillende week- en maandbladen werk van haar gepubliceerd.

BONNIE FURMAN is een zakenvrouw die manager is geweest op een verzekeringskantoor en eigenaar van een dierenwinkel. Momenteel is ze werkzaam als beroepsadviseur. Ze woont aan de prachtige noordwestkust en is gek op bergbeklimmen, fietsen en tuinieren. Haar passie voor de natuur en dieren houdt haar verbonden met wat echt belangrijk is in het leven.

KEN GROTE, achtenveertig jaar, is geboren en getogen in Florida. Hij is negenentwintig jaar getrouwd met Joan. Ze hebben volwassen kinderen. Hij heeft altijd plezier in het schrijven en het praten met mensen. Hij is van mening dat dat een goede eigenschap is, want de mensen die hij ontmoet vinden hem een toegankelijke man. Ken heeft verhalen van mensen gehoord over hun eerste dag op school tot mislukte zelfdoding. Als hij iedere keer dat iemand zei: 'Ik snap niet dat ik het jou vertel,' een dollar had gekregen, hoefde hij nu niet meer te werken... maar hij werkt nog steeds. Ken houdt ervan naar hun verhalen te luisteren en ze op te schrijven.

NICK HARRISON is een schrijver en redacteur en woont met zijn vrouw, Beverly, in Eureka, Californië. Een van zijn boeken is *Promise to keep: Daily Devotions for men Seeking In-*

tegrity en *365 WWJD? Daily Answers to 'What Would Jesus Do?'* In de ijskast van de Harrisons staat de mayonaise naast de yogonaise.

JUSTIN R. HASKIN is twintig jaar oud en studeert aan het Macalester College St. Paul in Minnesota. Hij speelt softbal, schrijft voor de schoolkrant en wil rechten gaan studeren. Hij wil ook een boek gaan schrijven en gelooft heilig in de menselijke kracht en de voorbeschikking. Hij wil graag zijn onvoorwaardelijke liefde uitspreken voor zijn moeder, 'de sterkste persoon die ik ooit heb ontmoet', en al die bijzondere mensen die zijn leven hebben gevormd, bedanken. Zijn vader wil hij zeggen: 'Ik mis je.'

THOM HUNTER schrijft vaak over onderwerpen zoals het gezin. Als freelance auteur en spreker brengt hij humor in de praktijk. Hij schreef o.a. *Those Not-So-Still Small Voices* en *Like Father, Like Sons... and Daughters, Too.* Thom en Lisa hebben vijf kinderen: Zach, Russell, Donovan, Patrick en Lauren. Ze wonen in Norman, Oklahoma.

PATSY KEECH ontdekt steeds weer nieuwe vreugde in haar leven als moeder van Connor. Ze is een gemotiveerde spreker, creatieve docent en houdt van het leven. Na de dood van Derian hebben Patsy en haar man Robb de Spare Key Foundation opgericht. Deze organisatie biedt hulp aan ouders van ernstig zieke kinderen. Het samen andere gezinnen helpen heeft de beslotenheid van hun verdriet veranderd en hun beiden een doel gegeven.

LILIAN KEW is een financieel analiste met een MBA op het gebied van internationale financiën. Ze geeft ook les aan een opleiding voor 'human development' en is actief in het plaatselijke vrijwilligerswerk, omdat het haar opvatting is dat je ook aan de gemeenschap moet teruggeven.

LAURA LAGANA is een verpleegster met een orthopedische aantekening. Ze is schrijfster en professioneel spreker en adviseur. Ze is lid van de National Speakers Association, Liberty Bell Speakers Association, American Nurses Association, Pennsylvania State Nurses Association en de National Association of Orthopaedic Nurses. Laura werkt met mensen die zich beter willen voelen en voor organisaties die bijzondere werknemers zoeken.

LORRAINE LENGKEEK groeide op in South Dakota, op een boerderij. Toen ze trouwde verhuisde ze naar Michigan. Ze heeft vijf kinderen, vijftien kleinkinderen en een achterkleinkind en een onderweg. Lorraine was een moeder die thuis bleef en daarna was ze oppas voor al haar vijftien kleinkinderen, die haar wel bezighielden.

JACKLYN LEE LINDSTROM komt uit het vriendelijke plaatsje Savage, Minnesota. Ze is onlangs uit de tredmolen van het werk gestapt en met pensioen gegaan. Eindelijk kon ze zich richten op haar twee liefdes: schrijven en schilderen. Er zijn verhalen van haar gepubliceerd in *Balsem voor de moederziel* en in *First for Woman*. Ze houdt ervan de vrolijke kant van het gezinsleven te belichten, omdat het gelach volgens haar het langste bijblijft en mooiere rimpels geeft. En zij kan het weten want zij heeft niet alleen kinderen, maar ook paarden en honden opgevoed.

RAY L. LUNDY is een geestelijke, dichter en een geïnspireerd spreker. Hij schrijft artikelen voor tijdschriften en heeft een wekelijkse rubriek in de plaatselijke krant. Hij heeft ook het inspirerende boek *Special Heroes* geschreven.

DAVID A. MANZI is advocaat in Charlotte, in de staat North Carolina. Hij is getrouwd met Patricia Mary Manzi, die human resource-manager is bij Mecklenburg County EMS. Zijn dochter, Marisa Lyn Manzi, is bezig met haar proefschrift aan de universiteit van Alabama.

JANN MITCHELL is columniste en schrijfster voor de krant *The Oregonian*, in Portland. Zij schrijft columns zoals *Relating*, *Living Simply* en *Popping the Question*. Ze heeft ook de boekenreeks *Sweet Simplicity* geschreven, waartoe *Love*

Sweeter Love: Creating Relations of Simplicity and Spirit en *Home Sweeter Home: Creating a Haven of Simplicity and Spirit* behoorden. Haar lezingen zijn geliefd en ze staat bekend om haar humor en inzicht. Haar bekendste workshop is 'Simplifying Your Life'.

CYNTHIA C. MUCHNICK behaalde haar diploma aan de Stanford University en ontmoette daar ook haar huidige man, Adam. Tijdens een voorjaarsvakantie waren ze in Parijs en Adam vroeg haar ten huwelijk. Hierdoor werd Cynthia geïnspireerd om huwelijksaanzoeken te verzamelen en *Will You Marry Me? The World's Most Romantic Proposals* te schrijven. Deze werden gevolgd door *101 Ways to Pop the Question*. Ze is een gedreven expert en adviseur en werkt als columniste en woordvoerder bij het tijdschrift *Honeymoon*. Haar meest recente boek, *The Best College Admission Essays*, is een praktische handleiding voor middelbare scholieren die de procedure van het aanmelden bij universiteiten doormaken.

MARGUERITE MURER is een professionele spreker, opleider en medewerker van de voorzitter van de Texas Rangers Baseball Club. Zij combineert haar onderwijsachtergrond met haar unieke ervaringen uit de honkbalwereld. Marguerite inspireert haar publiek en zet het aan om naar voren te stappen en een homerun te slaan.

MARGIE PARKER heeft veertig jaar in het warme en vochtige Florida gewoond zonder te beschimmelen en dat is een hele prestatie. Ze heeft drie volwassen kinderen die allemaal fantastisch en grappig zijn en volop bezig. Het huishouden van de Parkers bestaat tegenwoordig uit de auteur, een chagrijnige kat, een oude luie zwarte labrador, ontelbare altijd zwangere guppies en een echtgenoot Jim. 'Onuitgesproken liefde' is voor hem geschreven.

DAPHNA RENAN studeert momenteel aan Yale College. Ze is zesmaal verhuisd voordat ze aan haar studie kon beginnen en gedurende deze jaren leerde ze de betekenis van echte vriendschap. Daphna wil een ieder bedanken die in haar leven liefde, vreugde en wijsheid heeft gebracht.

JOANNA SLAN is een geëngageerd en motiverend spreker. In vier andere *Chicken Soup for the Soul*-boeken staan ook verhalen van haar. Ze is een meesterlijk verteller door niet alleen het bijzondere maar ook het alledaagse te verhalen. Zij is de schrijfster van *Using Stories and Humor: Grab Your Audience* en *I'm Too Blessed to be Depressed*.

BRYAN SMITH is een verslaggever van de *Chicago Sun-Times* en schrijft regelmatig voor de *Reader's Digest*. Na zijn afstuderen aan de universiteit van Maryland heeft hij diverse prijzen gewonnen met zijn schrijven, waaronder van de American Association of Sunday and Feature Editors, de Amy Foundation, de Virginia Press Association en de Oregon Newspaper Press Association. De *Sun-Times* heeft zijn werk voorgedragen voor de Pulitzer prijs.

ROXANNE WILLEMS SNOPEK woont in Abbotsford, British Columbia. Haar leven draait om drie fantastische schoolgaande dochters, haar dierenarts-echtgenoot, drie katten, twee kippen en een hond. Ze geeft les aan dierenartsassistenten en schrijft als ze even de kans krijgt. Zelf is ze gek op een goed liefdesverhaal.

ELIZABETH SONGSTER heeft achttien jaar lang samen met haar broer een bedrijf gehad. Allied Micro-Graphics is een dienstverlenend bedrijf voor vormgeving en managementinformatie. Ze is naar de University of New Hampshire geweest en mag volwassenenonderwijs geven. Haar man, Daniel, en zijn zoon Chris en haar drie zonen Clint, Richard en Jeb zijn wel in de meerderheid, maar zij blijft de baas. Elizabeth schrijft al sinds de middelbare school en heeft meerdere kinderboeken geschreven. Op dit moment werkt ze samen met haar zus aan een kookboek vol recepten van haar Griekse familie. De ervaring van haar man in de bergen, 'In zijn hart gegrift', was niet alleen een ongelooflijk voorbeeld van onzelfzuchtige liefde voor haar zonen maar ook van romantiek.

BARBARA D. STARKEY is tweeënzestig. Ze is weduwe en moeder van twee dochters en twee zonen en ze heeft zeven kleinkinderen. Ze heeft de leiding over de Union County Advocate in Morganfield, Kentucky. Haar hobby's zijn o.a.: taarten versieren, schrijven, houtbewerken, naaien en haar kleinkinderen. In het verleden is Barbara eigenaresse geweest van zowel dagopvangcentra als bakkerijen. Ze is ook makelaar, veilingmeester en verzekeringsagent geweest.

LEANNE THIEMAN is een schrijver en een landelijk bekend spreker. Ze is lid van de National Speakers Association. LeAnne weet haar publiek aan te zetten tot het stellen van prioriteiten en ernaar te leven. Ze inspireert mensen om te komen tot een balans tussen lichamelijk, geestelijk en spiritueel leven door de wereld te veranderen. Zij is medeauteur van *This Must Be My Brother*. Dit boek vertelt over haar rol in de gevaarlijke redding van driehonderd baby's tijdens de luchtbrug voor Vietnamese wezen.

KIM LONETTE TRABUCCO en haar familie wonen in Maine. Ze is bekend als Ms. Kim en staat meestal als vrijwilliger voor de klas of schrijft kinderboeken. Op dit moment wacht ze op haar doorbraak zoals alle nieuwe schrijvers doen.

DOROTHY WALKER werd in Dover, New Hampshire, geboren. Ze trouwde Harold Bean Walker en vierde haar tweeënvijftigjarig huwelijksfeest. Ze kregen negen kinderen en Dorothy werd ook gezegend met twee achterkleinkinderen, David en Burton Walker. Haar kinderen zijn Pam, Harold jr., Judy, John, Kerry, Steve, Richard, Syrene and Doretta. Dorothy voedde haar kleindochter Sally op, omdat haar dochter Pam bij een auto-ongeluk was omgekomen. Dorothy heeft alleen een sociale uitkering en als vrienden en familie vragen hoe zij het financieel bolwerkt, lacht ze alleen maar en herinnert hen eraan dat zij, toen ze pas getrouwd was, moest zien rond te komen van vijfendertig dollar per week.

DAVID L. WEATHERFORD, Ph.D., is kinderpsycholoog en freelance schrijver. Hij schrijft gedichten, liedjes en verhalen over liefde, relaties en hoe je tegenspoed te boven komt en over spirituele zaken. Momenteel werkt hij aan zijn tweede boek, waarin hij de rol van het lijden bestudeert. Terwijl hij voor diverse onderwerpen uit verschillende bronnen put, wordt hij voor romantische gedichten geïnspireerd door zijn beste vriend en zielsmaatje, Laura.

Verantwoording

Ik denk aan jou © 1998 *Alicia von Stamwitz*
Iemand die over me waakt © 1998 *Sharon Wajda*
Hongeren naar je liefde © 1998 *Herman en Roma Rosenblat*
Overal Olie © 1998 *Laura Jeanne Allen*
Een Iers liefdesverhaal © *George Target*
Koraalrood of wijnrood? © 1998 *T. Suzanne Eller*
Liefkozen © 1998 *Daphna Renan*
Wat betekent het om lief te hebben? © *Barbara De Angelis*
Vertrouwen testen© 1998 *Bryan Smith*
Tweedehands © 1998 *Joanna Slan*
De voorspelling van de gelukskoekjes © 1998 *Don Buehner*
Wilskracht © *Barbara De Angelis*
Naaktlopen uit liefde © 1998 *Carole Bellacera*
Limonade met een liefdesverhaal© 1998 *Justin R. Haskin*
Tweede kans © 1998 *Diana Chapman*
Vijftig manieren om je partner lief te hebben © *Mark en Chrissy Donnelly*
Het leven redden van mijn man © 1998 *Lorraine Lengkeek*
Bel 112 © 1998 *Cynthia C. Muchnick en Marie en Michael Pope*
Hoe hou ik van je? © 1998 *Lilian Kew*
Tot de dood ons scheidt © *Barbara De Angelis*
De goede fee © *Katharina Byrne, met toestemming van America Press, Inc.*
Onuitgesproken liefde © 1998 *Margie Parker*
Onscheidbaar © 1998 *Susan Ager*
Het scorebord © 1998 *Marguerite Murer*
Doorverbonden worden © 1995 *Thom Hunter*

De rollen omgedraaid *The Best of Bits & Pieces, met toestemming van The Economics Press, Inc.*
Een benarde situatie © 1998 *Barbara D. Starkey*
De rijkste vrouw van de wereld *Barbara De Angelis*
De mayonaiseoorlog © 1989 *Nick Harrison*
De vrouw achter de man maakt hem groot *The Best of Bits & Pieces met toestemming van The Economics Press, Inc.*
Waar liefde is © *Diana Chapman*
Een geschenk van liefde van Derian © 1998 *Patsy Keech*
In zijn hart gegrift © 1998 *Elizabeth Songster*
Nieuwe schoenen © 1998 *Kim Lonette Trabucco*
'Love me tender' © 1998 *Jacklyn Lee Lindstrom*
Bestaat de prins op het witte paard echt? © *Diana Chapman*
Een legende van liefde © 1998 *LeAnn Thieman*
Familie © 1998 *Bob Welch*
Iemand om te hebben © 1998 *Maxime M. Davis*
Foto's nemen © 1998 *Ken Grote*
De knipoog © 1998 *Karen Culver*
De kleine rode laarzen © 1998 *Jeannie S. Williams*
Onverbrekelijk verbonden © 1998 *Jann Mitchell*
Woensdagen © 1998 *David A. Manzi*
Eeuwig jong © 1998 *Shari Cohen*
Ik hou nog steeds van jou © 1998 *Geoffrey Douglas*
Een gewone dinsdag © 1993 *Dorothy Walker*
Schat, jij bent mijn... © 1998 *David L. Weatherford*
Twintig jaar getrouwd © 1998 *Maggie Bedrosian*
Glimlach naar degene die je liefhebt © 1998 *Eileen Egan*
Rijstepudding © 1998 *Roxanne Willems Snopek*
Een teken van liefde © 1998 *Patricia Forbes*
Wachten © 1998 *Ann W. Compton*
Liefde na een scheiding © 1998 *Bonnie Furman*
De dans © 1997 *Thelda Bevens*
De laatste wens van Sarah © 1998 *Ray L. Lundy*
Een laatste kus van Rose © 1998 *Laura Lagana*
Leven zonder Michael © 1998 *Cindy Landon*
Het laatste afscheid © 1998 *Karen Corkern Babb*